U0108562

這本書屬於：

Penguin Random House

新雅・知識館

給孩子的海洋全百科

翻譯：羅睿琪
責任編輯：莫家倩
美術設計：蔡學彰
出版：新雅文化事業有限公司
香港英皇道499號北角工業大廈18樓
電話：（852）2138 7998
傳真：（852）2597 4003
網址：http://www.sunya.com.hk
電郵：marketing@sunya.com.hk
發行：香港聯合書刊物流有限公司
香港荃灣德士古道220-248號荃灣工業中心16樓
電話：（852）2150 2100
傳真：（852）2407 3062
電郵：info@suplogistics.com.hk
版次：二〇二一年十二月初版
二〇二三年三月第二次印刷
版權所有・不准翻印

ISBN:978-962-08-7835-0
Original Title: *My Encyclopedia of Very Important Oceans*
Copyright © 2021 Dorling Kindersley Limited
A Penguin Random House Company

Traditional Chinese Edition © 2021 Sun Ya Publications (HK) Ltd.
18/F, North Point Industrial Building, 499 King's Road, Hong Kong
Published in Hong Kong SAR, China
Printed in China

For the curious
www.dk.com

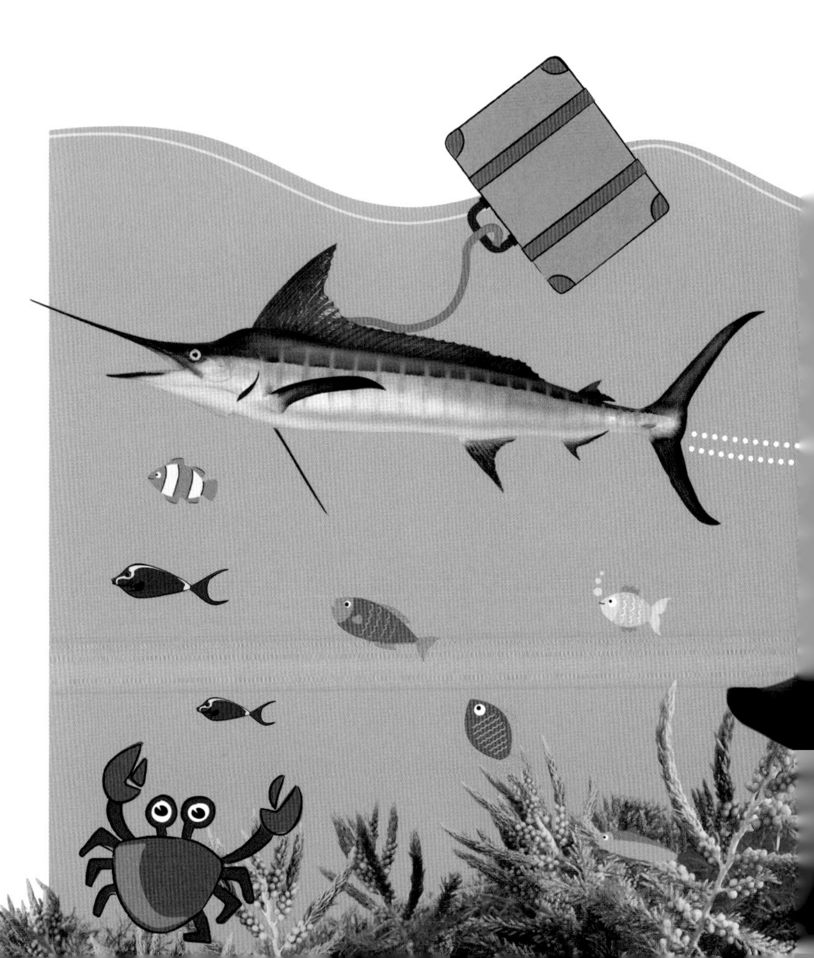

給孩子的海洋全百科

新雅文化事業有限公司
www.sunya.com.hk

目錄

地球上的海洋

10 藍色的星球
12 認識海洋
14 五大洋揭秘
16 帶有鹹味的海洋
18 水循環
20 遠古的海洋
22 海牀
24 不可思議的島嶼
26 海浪
28 洋流
30 潮汐
32 海岸侵蝕
34 危險地帶

認識海洋動物

38 小小的奇跡動物
40 引人注目的海綿
42 花枝招展的水母
44 閃亮的海星
46 令人驚歎的硬殼
48 活潑的螃蟹
50 聰明的雙殼類動物
52 超級魷魚
54 巨大的章魚
56 海螺與海蛞蝓
58 海洋爬蟲類動物
60 厲害的海龜
62 魚類朋友
64 驚人的魚
66 非凡的海馬

68　葉形海龍
70　平滑發亮的鯊魚
72　魟魚和鰩魚
74　潛泳的海豚
76　神奇的鯨魚
78　大藍鯨
80　海洋中的獨角獸
82　海象、海豹與海獅
84　愛玩的企鵝
86　翱翔的海鳥

海洋環境

90　海濱
92　海岸棲息地
94　紅樹林
96　海草草原
98　海藻林
100　珊瑚礁
102　珊瑚礁裏的生命
104　天然礁石
106　人工礁石
108　冰封的海域
110　北極海域
112　南極海域
114　海洋的區域
116　透光帶
118　過渡帶
120　半深海帶
122　深海帶

活在海洋中

126 家庭最重要
128 海龜的力量
130 乘風破浪
132 一起游泳
134 完美拍檔
136 海洋漫遊者
138 鯨魚大冒險
140 北極的食物網
142 奇妙的海藻
144 海洋獵人
146 自我防衛
148 變裝大師
150 天然的亮光
152 海洋中的聲音
154 超級聲納
156 聰明的海洋生物

海洋大冒險

160 早期探索
162 海上絲綢之路
164 海洋探索
166 海上科學
168 看看這些船！
170 搜索沉船
172 大海中的恐怖人物
174 迷思與傳說
176 探索海洋的機械
178 海洋儀器
180 繪製海洋地圖

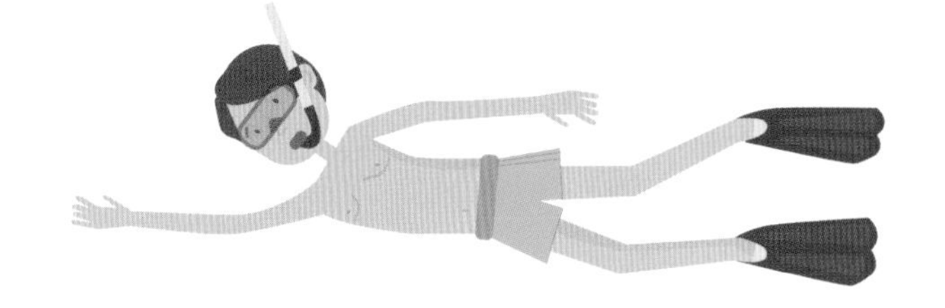

182 深入的發現

184 探究馬里亞納海溝

186 海底山脈

188 在溶坑裏

190 海洋英雄

192 運動紀錄

海洋與我們

196 海上樂趣多

198 海灘假期

200 在海底裏生活

202 在波濤上工作

204 海上救援

206 海洋資源

208 漁業

210 海洋生態危機

212 氣候變化

214 塑膠污染

216 拯救我們的海洋

218 迎向未知的旅程

220 中英對照索引

223 鳴謝

地球上的海洋

縱身一躍，快來投入**我們的水世界**，展開一段濕漉漉的驚險旅程。潛入鹹鹹的大海，在狂野的浪濤與詭譎多變的天氣中探索，向海洋深處的海牀進發——你將會度過一段有趣的時光！

藍色的**星球**

歡迎來到我們的水世界！海洋覆蓋着我們這星球上巨大的面積。它們是地球上**最龐大的水源**，也是許多野生生物的家園。

水與陸地

地球上的水比陸地多很多。水佔據了地球整體面積超過**三分之二**！地球表面的其他地方則是七大洲和數以千計的島嶼。

我們至今仍未完全認識所有生活在海洋中的動物。

蝦

我是海洋中體形最龐大的動物。

藍鯨

藍色海洋的真面目

海洋看起來是**藍色**的，那是由**陽光**反射所造成的。太陽的光線包含了彩虹的所有色彩。當耀眼的陽光照射在海洋上，海水會吸收所有顏色，除了藍色。藍色的光線會被海面反射，讓我們看見海洋是藍色的。

認識海洋

太平洋非常遼闊，它較所有大洲合併起來的面積還要大！太平洋上大約有25,000個島嶼。

大西洋是地球上最大島嶼格陵蘭所在的地方。地球上最長的山脈鏈其中一部分位於格陵蘭。

太平洋裏的水比其他所有大洋的水加起

地球上有**五大洋**，它們互相連結，形成一個巨大的水體。海洋中較細小的區域稱為**大海**。

北冰洋是五大洋中最細小的。

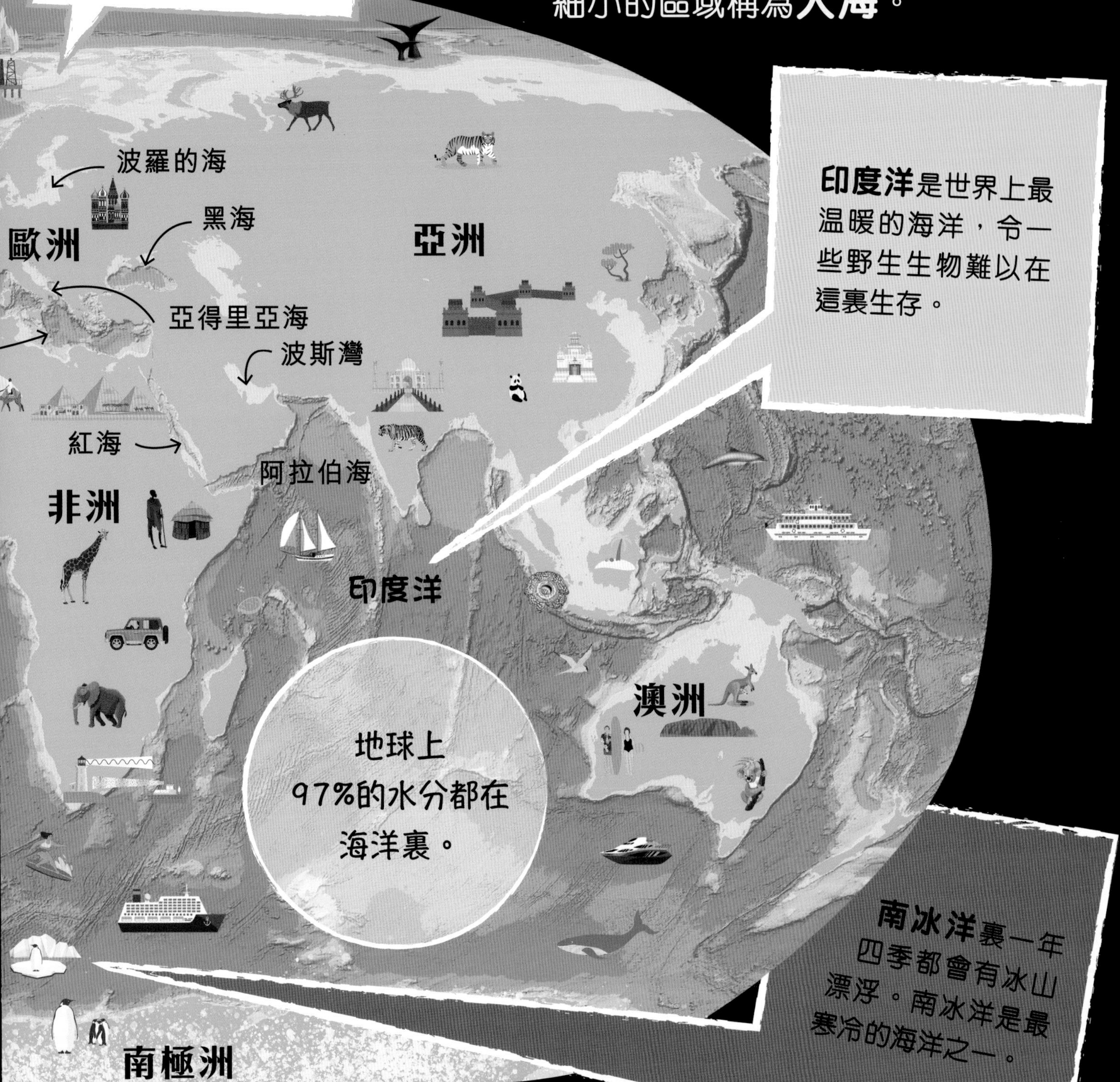

印度洋是世界上最温暖的海洋，令一些野生生物難以在這裏生存。

地球上97%的水分都在海洋裏。

南冰洋裏一年四季都會有冰山漂浮。南冰洋是最寒冷的海洋之一。

來還要多！

第一個海洋是在數十億年前形成的。

五大洋揭秘

地球上的**五大洋**有什麼特別之處呢？

一起來投入海洋中，找出答案吧！

太平洋

太平洋是地球上**最大**和**最深**的海洋，也是數以千計島嶼的所在之處。所有海洋中接近一半的水佔據着太平洋。

復活節島是太平洋裏一個著名的島嶼。它以島上巨大的石像而為人熟悉，這些石像稱為「摩艾石像」。

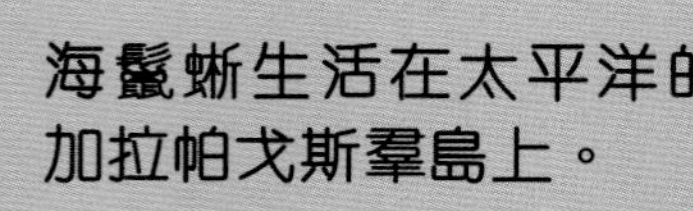

海鬣蜥生活在太平洋的加拉帕戈斯羣島上。

稱為「颶風」的熱帶氣旋經常在大西洋中形成。

大西洋

太西洋將北美洲及南美洲，從歐洲及非洲分隔開。它是地球上**第二大**的海洋，同時擁有温暖與寒冷的水域。

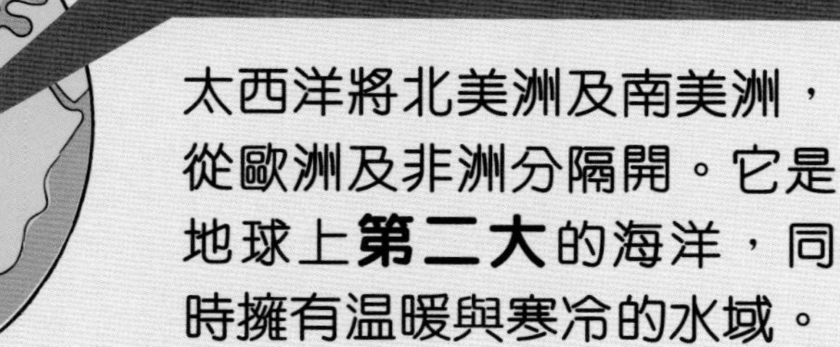

智利王蟹棲息於大西洋海域。

來自大西洋的冷空氣與來自納米比沙漠的乾燥空氣相遇時，會令納米比亞海域出現濃霧。許多船隻因而在當地擱淺。

北冰洋

北冰洋是**最寒冷**的海洋。在冬天裏，它大部分的範圍都被一層厚厚的冰覆蓋住。

我比其他海洋的魚類生活在更接近北方的地方！

北極鱈

環斑海豹在北冰洋海域生活及獵食。

來自北極巴芬灣的冰山會往南方漂浮，抵達北大西洋，威脅當地的船隻安全。

印度洋

馬爾代夫是由超過1,000個珊瑚島組成的。這些島嶼深受水肺潛水員的喜愛。

印度洋在亞洲的南方，位於非洲與澳洲之間。它是五大洋中**最溫暖**的海洋。

馬爾代夫

我會在溫暖的沿岸水域盡情大啖海草。

儒艮

印度洋的海底地震會產生巨大及具破壞力的海浪，稱為「海嘯」。

南冰洋

漂泊信天翁會越過南冰洋飛行一段極長的距離。

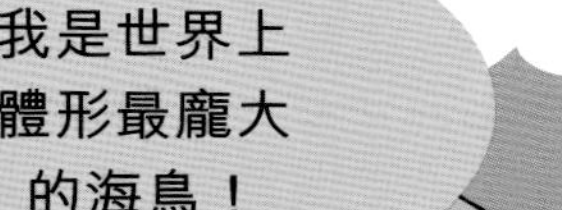

寒冷的南冰洋包圍着南極洲，它是唯一**環繞地球**的海洋。

地球上大部分的冰山都位於南冰洋的海域上。

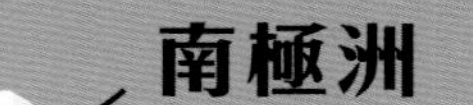

帶有鹹味的海洋

來自陸地上的**岩石**和**土壤**的鹽會被沖刷在河流中，並流進海洋裏，令海水變鹹。

鹽是礦物質氯化鈉的簡稱。

如果海洋中所有水分都蒸發掉，然後把餘下的鹽放在陸地上砌成鹽層，就能砌成一幢35層高的大廈！

鹹水

我們無法看見水裏的鹽，因為鹽已經溶解。但是，只要海水**蒸發**（即變成氣體），便會留下一顆顆的鹽粒。

大海中的鹹水鹹得不能喝！

我們可以輕而易舉地在死海裏的水中浮起來。

死海是位於以色列與約旦之間的鹽湖。那裏的水的鹽分較海水高10倍！

淡水

淡水含有非常少的鹽。地球上大部分淡水都存在於**冰川**和**冰蓋**裏，但亦有些存在於河流裏。

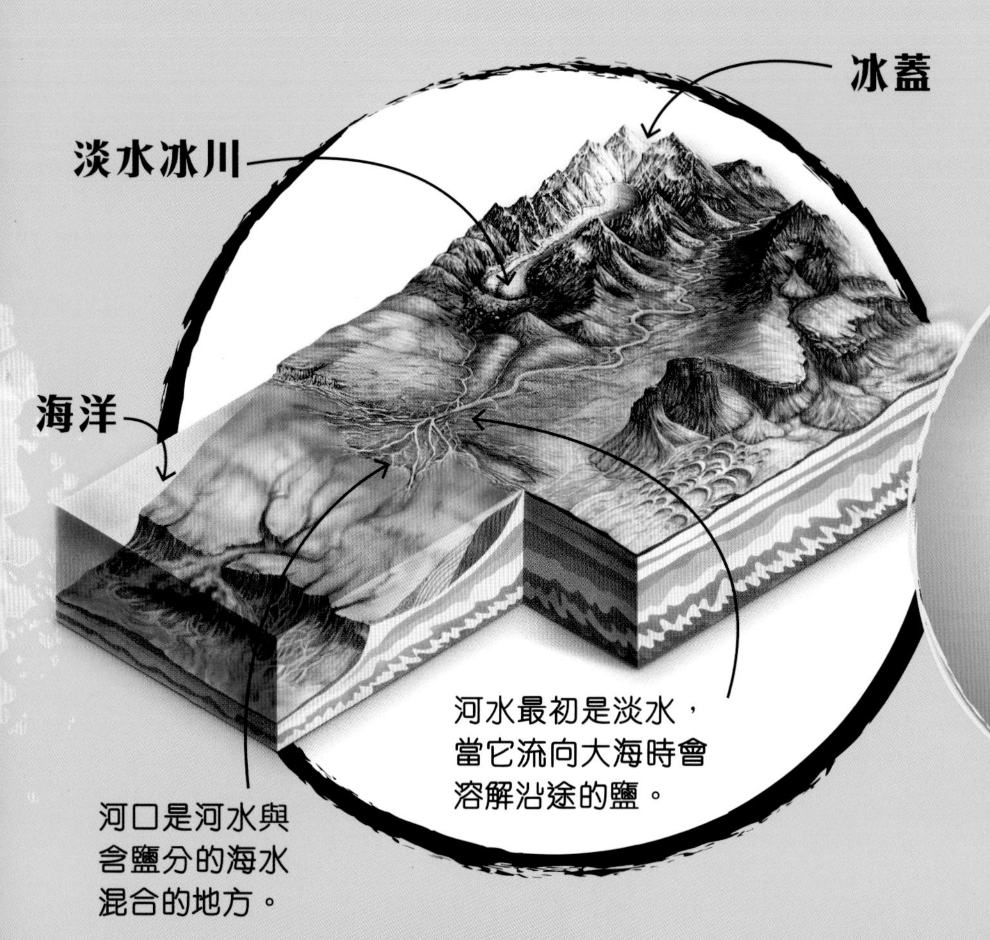

地球上只有極少量的水是淡水。

地球上大部分的水都是鹹水。

水的含鹽量稱為「鹽度」。

水循環

1

太陽發出的熱力令海水蒸發。水從液體變成氣體，並往上升起。

試想像一下在滑梯不斷**上上下下**——爬上滑梯，滑下，跑回去，再次爬上滑梯！這情況就像地球上的水循環。

水循環是如何產生的？

地球上永遠存在相同容量的水，但是水**不斷到處流動**。水在天空中累積起來，灑落地面，往下流向海洋，然後再次回到天空上。

水在水循環中**改變狀態**。它可以成為固體、液體或氣體。

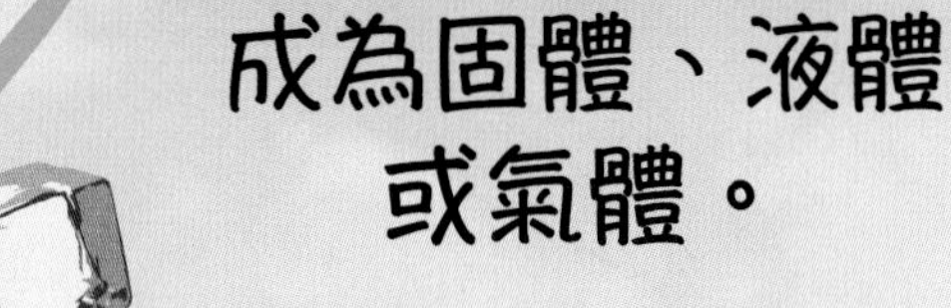

5

太陽會再次令海水蒸發，而水循環不斷重複。

2

這種氣體稱為水蒸汽，它會冷卻並產生微小的水點，水點會組成雲。

3

雲會產生雨、雪或雹，稱為降水。

什麼是天氣？

天氣描述出我們周邊的發生在大氣中的狀況。天氣預報能顯示所預測的天氣狀況。天氣可以是炎熱、寒冷、陽光普照、潮濕、大風、雷電交加或下雪。

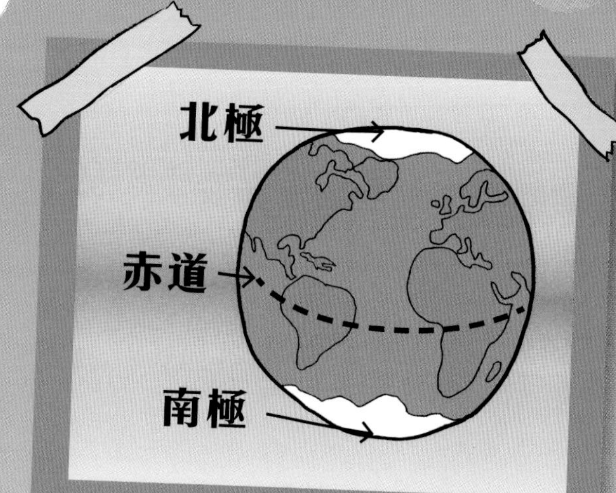

在特定地區出現的典型天氣稱為氣候。例如，赤道附近的氣候炎熱，北極及南極周邊的氣候寒冷。

4

水降落到陸地上，在溪流及河流匯聚，被帶回海洋裏。

遠古的海洋

海洋是在**數十億**年前形成的，隨後地球上最早期的海洋動物陸續出現。

遠古的海洋生物

最早出現的海洋生物是帶有硬殼的海洋**無脊椎動物**。其後，**脊椎動物**包括海洋爬蟲類和哺乳類動物開始在海洋中徜徉。

5億年前
最早期的無脊椎動物遍布海洋

在數億年前，海洋中布滿三葉蟲。牠們沿着海牀爬行，或是在水中游動穿梭。三葉蟲有堅硬的身體，看起來有點像木蝨。

2.5億年前
體形龐大的爬蟲類動物開始在海洋

魚龍的希臘文名稱「Ichthyosaur」意思是「像魚的蜥蜴」。

魚龍生活在恐龍遍布地球的時代。牠的樣子有點像海豚，擁有長長尖尖的口鼻部。

最初的海洋

海洋形成時，地球還**沒有任何大洲**。隨後，火山產生岩石，再形成大洲。水圍繞這些大洲流淌，成為今天我們所認識的各個海洋。

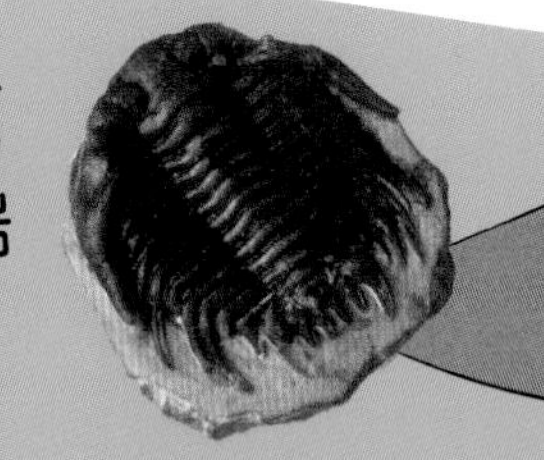

三葉蟲化石在遠古的岩石中發現。

生活。

2,000萬年前

巨齒鯊出現於海洋世界。

巨齒鯊是地球史上最巨大的鯊魚！

鯊魚出現在海洋中的時間遠早於巨齒鯊。巨齒鯊是尖吻鯖鯊的近親，在超過150萬年前已滅絕。

化石

化石是遠古生物罕有的**遺骸**，它們被保存了超過數百萬年。

死去的動物被泥和沙覆蓋着。

動物屍體腐化，但骨骼和牙齒通常會留下來，慢慢變成石頭。

許多年後，骨骼已經消失，餘下的就是化石。

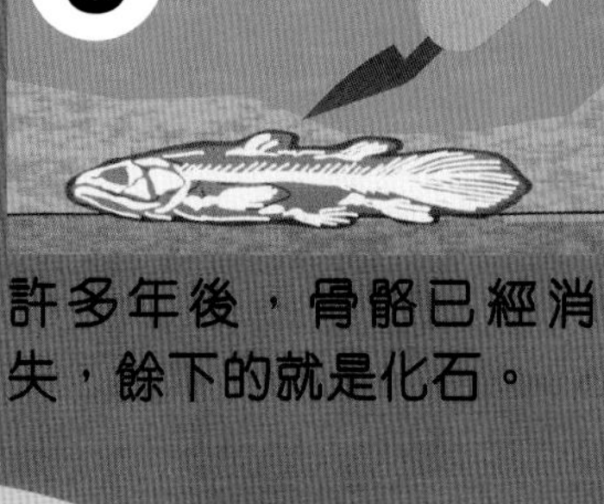

古生物學家研究化石，找出數百萬年前生物的面貌。

海牀

海洋的底部和地球上的**陸地**非常相似。海牀有高山、火山、溝槽，還有林林總總的植物和動物。

大陸坡

連接大陸棚與深海平原的斜坡。

大陸棚

海牀較淺水的地方，與陸地連接。

深海平原

一個平坦的區域，佔海牀大部分範圍。

珊瑚礁是長有珊瑚的區域。珊瑚礁的頂部通常剛好冒出海平面之上，或是剛好淹沒在海平面以下。

海溝

海牀上又長又深的溝槽。

我們棲息在馬里亞納海溝裏。

珊瑚礁覆蓋着少於1%面積的海牀。

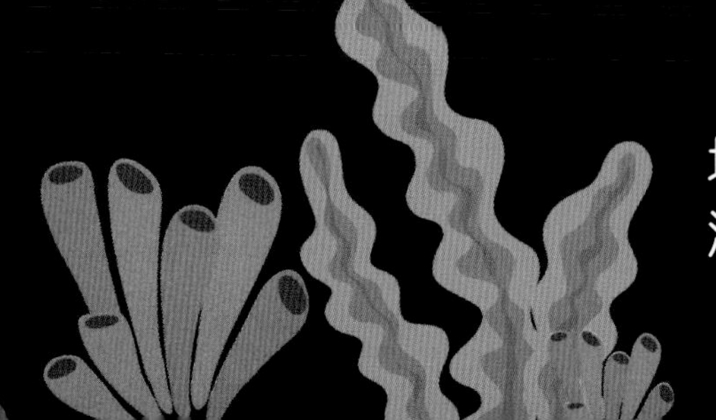

小飛象章魚

地球上**最深的海溝**是馬里亞納海溝。它的深度達11,034米。

火山

海底熱泉會在火山附近找到。

海底熱泉是從海牀流淌出來的温泉。它們非常熾熱！

火山島

位於海洋的火山，山頂在海平面以上。

火山

海牀的缺口，熔岩和灰燼會從這裏噴發到海裏。

海脊

位於海底的山脊，是地球板塊之間互相移開時所形成的。

海底山

位於海底的火山。海底山的山頂在海平面以下。

海底山

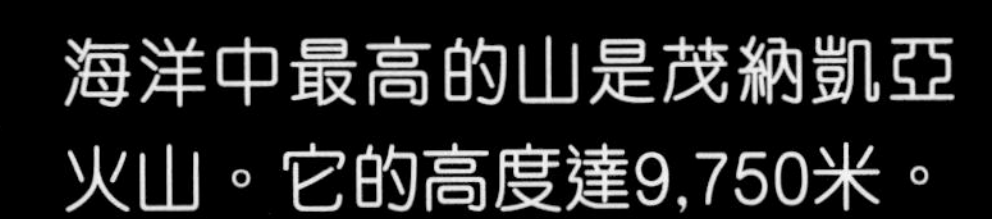

海洋中最高的山是茂納凱亞火山。它的高度達9,750米。

潛水距離最深的動物是柯氏喙鯨。牠能潛進3,000米的深海裏。

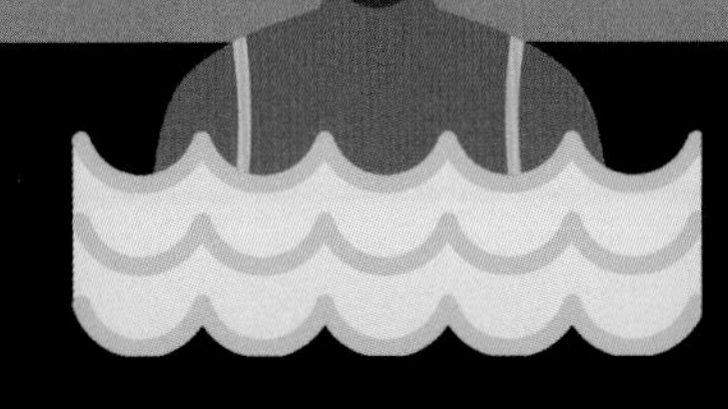

世界紀錄上自由潛水的**最深距離**是253.2米。

不可思議的**島嶼**

你想像中的島嶼也許是一個陽光普照、長有棕櫚樹的沙灘，但是島嶼的差異可以相當大。島嶼是任何完全**被水圍繞着**的一片陸地。

格陵蘭

馬爾代夫

大或小

地球上最大的島嶼是**格陵蘭**，那裏冰天雪地，位於北大西洋。地球上也有許多細小的島嶼，稱為**小島**。

布滿細沙或布滿石塊

馬爾代夫由大約1,200個布滿細沙的島嶼組成。**加拉帕戈斯羣島**的21個島嶼則布滿岩石，並形成絕佳的野生動物棲息地，例如適合巨型陸龜居住。

島嶼熱點

地球內部的火山噴發會穿過海底，形成熱點。反覆的噴發會形成**火山島**，例如太平洋中的夏威夷羣島。

夏威夷的基拉韋亞火山是地球上最活躍的火山。自1983年以來，它一直在不斷噴發！

一羣島嶼稱為「羣島」。

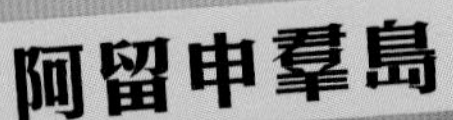

阿留申羣島

基克拉澤斯

炎熱或寒冷

阿留申羣島氣候嚴寒，經常下大雨，且有濃霧，而**庫克羣島**則屬於熱帶氣候，全年陽光普照。

近或遠

特里斯坦達庫尼亞是與世隔絕的羣島。其他的羣島則非常接近大陸，包括位於愛琴海的**基克拉澤斯**非常接近希臘大陸。

我是一個滑浪運動員。
我追逐海浪，乘着海浪
返回岸邊。

海浪

在海浪衝向岸邊時躍進浪裏非常好玩。但是海浪是**從哪裏來**，又為什麼會消散呢？

風

海浪如何產生？

當風吹拂過海洋的表面時，便會**掀起海浪**。海浪是在海水以圓形的路線移動時形成的。最巨大的海浪是由持續的強風所產生的。

水以圓形的路線移動。

隨着海浪逐漸變大，它們會形成不同的種類，稱為**漣漪**、**白浪**和**湧浪**。

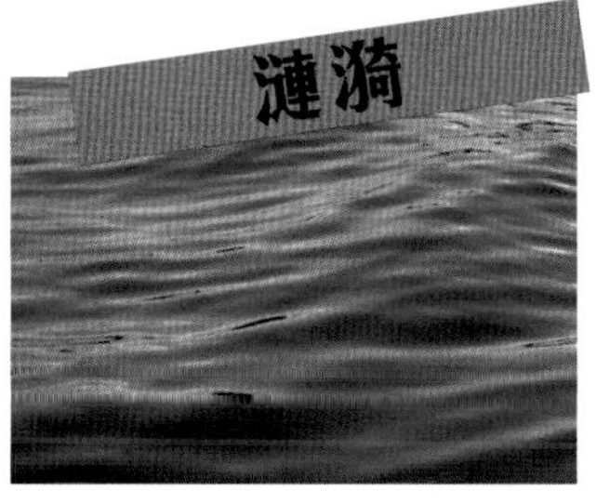

漣漪

風吹過海面，便會形成細小的漣漪。

白浪

當風繼續吹拂，漣漪會變成白浪。

湧浪

隨着時間過去，白浪會變成規律的海浪，稱為湧浪。

滑過蜷曲的海浪

最適合滑浪的海浪是那些蜷曲成**管道**的海浪。夏威夷歐胡島的「萬歲管道」最適合滑浪，它可高達6米——就跟長頸鹿一樣高！

夏威夷瓦胡島的「萬歲管道」

海浪

非常巨大的海浪衝擊沿海地區時，可以造成破壞。

碎浪

巨大的碎浪如何形成？

1. 海浪接近沿岸時，海浪的底部撞向較淺的海牀。
2. 海浪的圓形移動受到干擾，令海浪變得較緩慢，亦較高聳。
3. 海浪頂部的水漸漸變薄。
4. 海浪蜷曲，形成碎浪。

岸邊的海牀

巨大及強力的海浪能侵蝕懸崖，捲走沙灘上的沙子，甚至推倒牆壁！

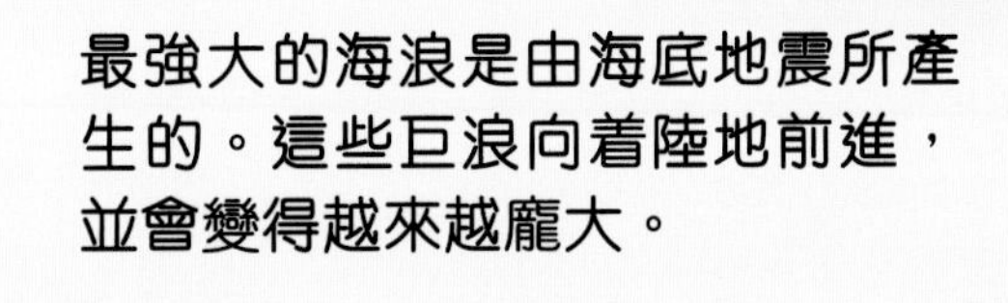

最強大的海浪是由海底地震所產生的。這些巨浪向着陸地前進，並會變得越來越龐大。

洋流

洋流就像海中河流，推動海洋裏的水流遍全球。海洋裏有**表面**洋流和**深海**洋流。

全球大洋輸送帶

全球大洋輸送帶是世界上最長的洋流之一。它帶動寒冷的海水和海面較熱的海水環繞地球，而每一次循環的時間非常緩慢，需時長達**1,000年的旅程**。

1 在北極的寒冷及含鹽的海水往下沉，並緩慢地向南移動。

2 深海洋流與南極洲附近的寒冷海水混合。

海水不斷在五大洋之中流動。

1992年，一艘貨櫃船將數以千計的橡膠鴨子傾瀉在海洋中。洋流將這些鴨子送到世界各地！

3 部分海水流向印度洋和太平洋，在那裏海水會向上升，匯入溫暖的表面洋流。

4 表面洋流移向格陵蘭，在那裏海水會變得較冷，並完成整個循環。

潮汐

每天，海岸的海平面會上升和下降，這些現象稱為「潮汐」。它是由**月球引力**所造成的，是一種牽引着地球看不見的力。

張潮或退潮

當月球的引力將海洋的水拉近它，海平面便會上升，這就是**張潮**。當海平面下降，便稱為**退潮**。

退潮

當月球的引力較弱時，海平面會下降。海浪不會伸展到海灘上很遠的地方。

張潮

當月球的引力較強時，海平面會上升。海浪會爬上沙灘高處。

大部分海岸每天都會有兩次張潮及兩次退潮。

地球自轉一圈
需時一天。

潮汐變化

地球自轉的同時，月球亦圍繞着地球旋轉。潮汐漲退要視乎地球上的海洋哪個部分正**面向**月球。

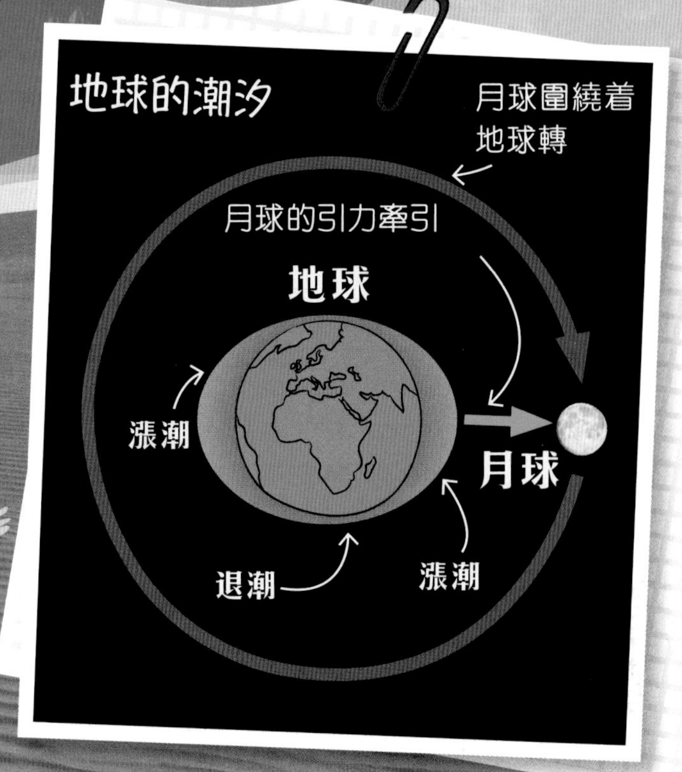

警告！

海水可能迅速覆蓋海灘，因此知道潮汐何時上漲或下退是非常重要的。

漲潮會同時發生在地球的兩側。

探索潮池！

退潮時，你可能在潮池裏的岩石間找到許多細小的動物，例如螃蟹等。

海岸侵蝕

即使最温和的海浪，它的威力也非常強大。超過數百年間，海浪將岩石沖刷走，磨損成**較細小平滑**的碎片。這個過程稱為**侵蝕**。

岩石從懸崖上掉落。

海浪侵蝕懸崖的底部。

1 海浪衝擊懸崖的底部。經過一段時間，海浪會令岩石磨損。

2 漸漸地，懸崖的底部磨損得非常嚴重，無法固定上方沉重的懸崖，令懸崖崩塌掉進大海裏。

岩石崩解！

隨着時間過去，岩石會崩解變成**微小的碎片**。強而有力的海浪及互相碰撞的岩石最終令龐大的巨礫變成微小的沙粒。

巨礫

卵石

堅硬的岩石侵蝕速度較緩慢，例如花崗岩。

柔軟的岩石會迅速崩解，例如白堊。

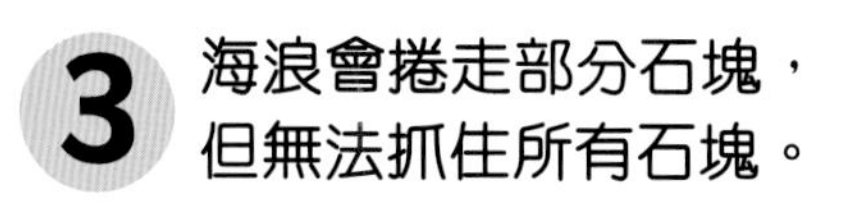

在陸地向外延伸進大海中的地方，海浪能夠侵蝕這些陸地，形成「海蝕洞」。如果海浪衝破了海蝕洞，便會形成「海拱」。

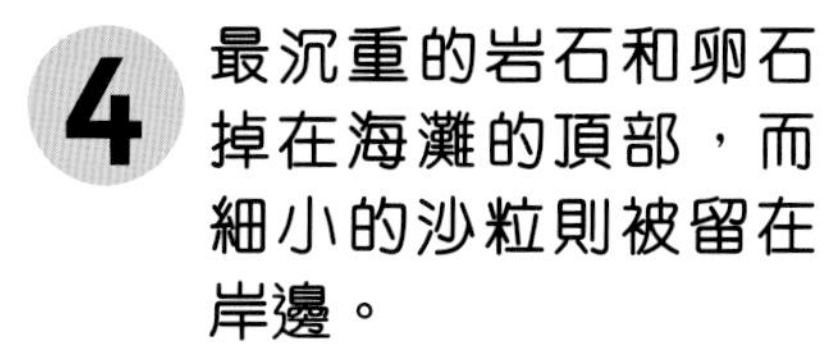

3 海浪會捲走部分石塊，但無法抓住所有石塊。

4 最沉重的岩石和卵石掉在海灘的頂部，而細小的沙粒則被留在岸邊。

小卵石

沙子

與那國島海底遺跡

日本的與那國島擁有獨一無二的岩石構造——一些巨大及平坦的**水底「階梯」**在岩石上。科學家無法確定這些階梯是自然現象或是人工造成的。

危險地帶

我們前往戶外前都會先查看天氣報告。但是，下雨的威脅與影響地球海洋的**自然災害**相比，前者卻是微不足道的。現在你正進入危險地帶！

洪水

大量降雨導致洪水，也因而令海平面上升。如果海水上漲太高，便會淹沒沿岸地區，使建築物受破壞。

當颶風抵達陸地時，會摧毀汽車、樹林和建築物。

颶風

在北大西洋及太平洋東北部形成的**熱帶風暴**稱為「颶風」。它們可以像一個城市那麼寬闊，而且每次出現持續數天。

颶風和氣旋都是熱帶風暴，但是會按照它們出現的地點而有不同的名稱。

氣旋

呈**螺旋形移動的強風**在炎熱的氣溫中於南太平洋和印度洋迅速形成。氣旋能以驚人的速度移動。

預測天災

雖然**無法阻止**極端天氣，但是可以依靠專家和新科技來預測。氣象站與研究船會追蹤氣溫與海平面的變化。它們會發出預報，讓人有更多時間做好準備。

漩渦

如果兩股洋流在海洋上相遇，它們便會形成一處**不斷旋轉**的水域，稱為「漩渦」。最強大的漩渦的力量足以將游泳者與船隻拖進水底。

火山爆發

大部分火山活動都在海裏發生。火山會在**熱點**爆發，噴出熔岩和灰燼。海洋裏的水會將熔岩和灰燼冷卻，將它們變成堅硬的岩石。

海嘯

火山和地震引起的衝擊波可產生危險的**水牆**，稱為「海嘯」。海嘯會向海岸線迅速移動，而當它們抵達陸地時會造成嚴重破壞。

認識海洋動物

地球上一些最古怪、最神奇的動物**棲息在海洋裏**。我們的水域是各種各樣動物的家園，從細小的海龍到龐大的鯨魚都生活在海洋。來投入大海，認識海洋裏的住客吧——但要小心鬼鬼祟祟的海蛇！

註：其實鯨魚不是魚，而是哺乳類動物，只是我們習慣叫牠們為鯨魚。

小小的**奇跡動物**

個子小，貢獻不少！這些細小的動物對海洋**至關緊要**。

浮游動物

浮游動物是**微小的**海洋動物，牠們會在海洋裏漂浮，進食微細的浮游植物。較大的動物有賴於浮游動物才能生存下去。

浮游動物

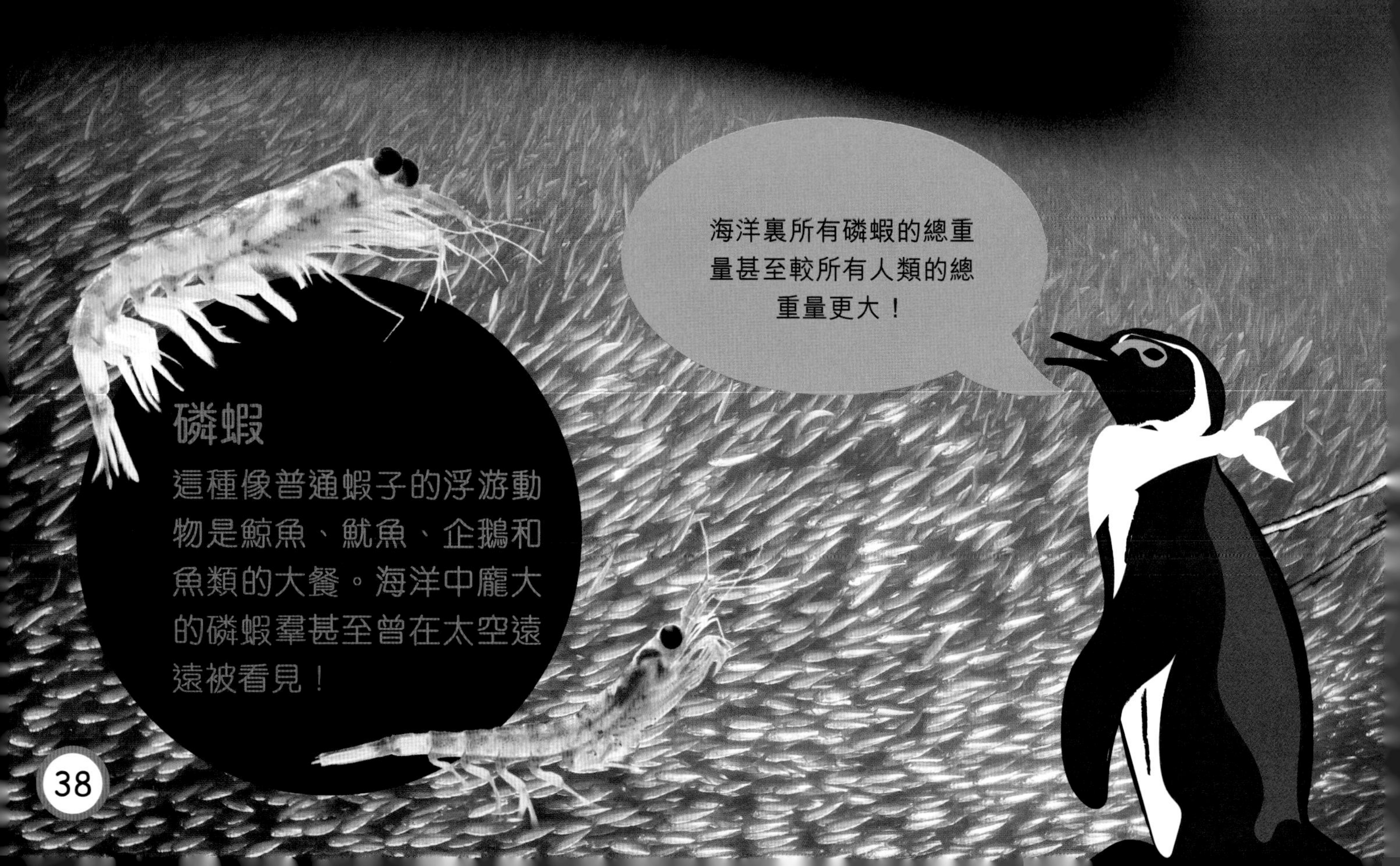

磷蝦

這種像普通蝦子的浮游動物是鯨魚、魷魚、企鵝和魚類的大餐。海洋中龐大的磷蝦羣甚至曾在太空遠遠被看見！

橈足類動物

這種細小動物是一種浮游動物，也是海洋類最常見的動物！牠擁有長長的**觸角**用來尋找食物，還能透過進食藻類、細菌及死去的生物來保持海洋清潔。

觸角

「浮游生物(Plankton)」的英文字源自希臘文，意思是「漂浮者」。

許多浮游生物都會被海洋的潮汐和洋流帶到不同的地方。

櫛水母

櫛水母剛出生時是類似果凍的幼體。隨着牠逐漸成長，牠**發育**出大大的眼睛，還有更大的胃口。

櫛水母

箭蟲

身體透明的箭蟲是快速的游泳好手。牠利用頭上的**勾**來捕捉獵物，例如橈足類動物。

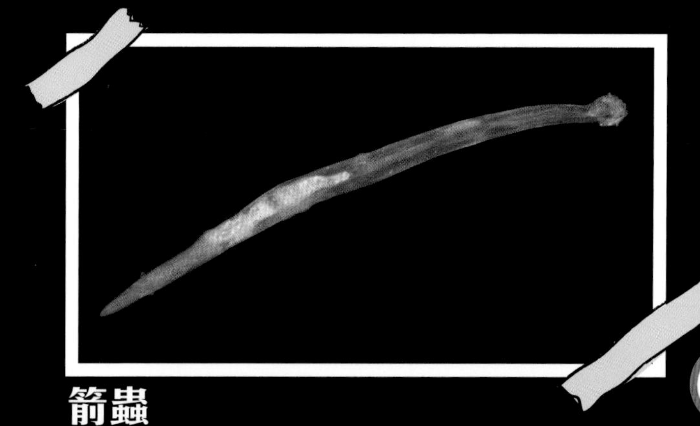

箭蟲

引人注目的海綿

我覓食時會戴着一塊海綿來保護我的鼻子。

海綿沒有頭或心臟——牠們甚至無法移動！這些**簡單的動物**屬於沒有脊骨的海洋動物一分子，牠們被稱為「海洋無脊椎動物」。

爐管海綿（Stove-pipe sponge）擁有粉紅色與紫色的管子。牠們活在深海裏，在那裏強力的洋流也不能折斷牠們脆弱的管子。

生長在熱帶淺水的紅海綿（Fire sponge）表面覆蓋着一種化學物質，一旦觸碰便會產生灼熱的皮疹。這阻止了大部分捕食者把牠們吃掉。

海綿是地球上其中一種最古老的生物。

阿氏偕老同穴（Venus flower basket）是一種深海海綿，由製造玻璃的主要材料矽土組成。牠擁有許多層的矽土，因此牠出乎意料的堅固！

海綿求生記

海綿有堅硬的內層骨骼，把牠們固定住。牠們亦充滿**小孔**，能吸入海水。牠們長有細小的毛髮來把海水中的食物攔住，然後海水會再被排出身體外面。

會打噴嚏的海綿

玻璃海綿(Glass rope sponge)被發現在「**打噴嚏**」。牠會吸入海水，然後非常緩慢地將水噴出來——這過程可以持續數星期！

附着岩石上生長的海綿（Encrusting sponge）是一種平坦及色彩鮮豔的海綿。許多附着岩石上生長的海綿都是有毒的，但有些捕食者已經適應，因此仍能夠把牠們吃掉。

花枝招展的**水母**

水母真的不是魚類！牠們沒有腦部、心臟、血液或骨骼。相反，水母擁有柔軟的身體，還有長長的**帶刺的觸手**，以擊昏牠們的獵物。

箱形的身體（鐘狀體），底部有嘴巴。

箱形水母就像一顆葡萄那麼細小！

鐘狀體的每個角落連接着多達15根觸手。

箱形水母

致命的漂浮者

小心——箱形水母可以致命！只要碰觸牠的觸手一下，便足以死亡。箱形水母的觸手上有超過**5,000個刺細胞**，裏面含有致命的毒液。

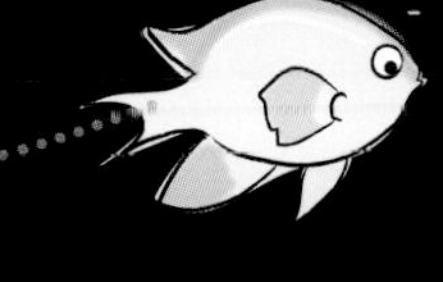

咿！
我要走了！

香港水域裏常見的水母共有6種。

獅鬃水母

獅鬃水母是世上體形最大的水母。牠會利用**粗長而蓬亂**的觸手像漁網一樣來捕捉獵物。

海月水母

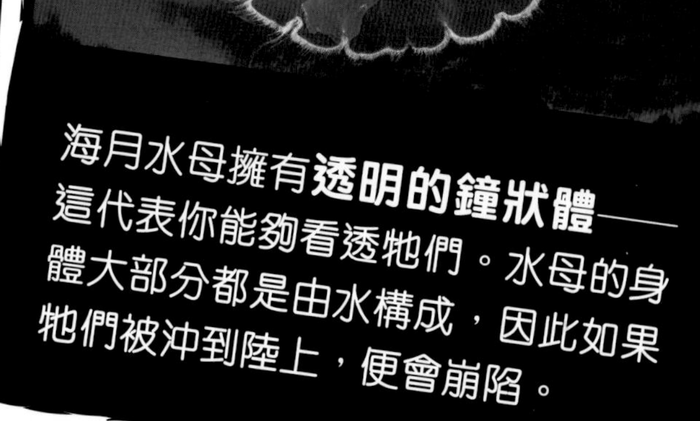

海月水母擁有**透明的鐘狀體**——這代表你能夠看透牠們。水母的身體大部分都是由水構成，因此如果牠們被沖到陸上，便會崩陷。

水母有許多形狀和顏色。

黃金水母

花笠水母

炮彈水母

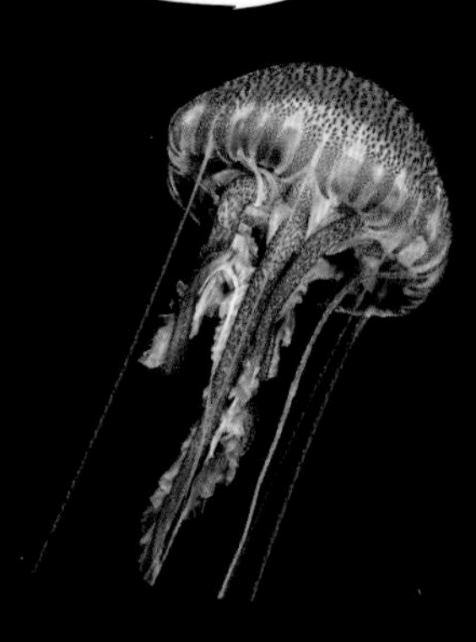

夜光游水母

水母沒有腦部，但牠們能回應來自神經的信息，這些神經會感知熱力和觸覺。

日本天皇裕仁對水母非常着迷。他每逢星期一及星期四的下午都會花時間研究水母，並寫作關於水母的科學論文。

閃亮的海星

科學家將海星稱為Sea stars而不是Starfish，因為海星和魚類的共通之處少之又少。

海星沒有腦袋或心臟，但是牠們能夠利用**黏濕的觸手**到處移動。這些色彩斑爛的生物確是海洋劇場的閃亮明星！

普通海星

藍指海星

帶有觸手的危險生物

大部分海星都有五根觸手，但部分海星有多達50根觸手！如果海星失去了一根觸手，牠能將觸手**重新長出來**。

布滿小腳

海星的觸手長有數以百計的**微細管子**，就像小小的腳一樣。每根觸手的末端則是一隻眼睛。

有些海星能單憑一根觸手重新長回整個身體！

海星的眼睛

世界上大約有2,000種不同種類的海星。

有些海星的外觀與海牀保持一致，亦有些海星色彩鮮豔，以嚇走襲擊者。

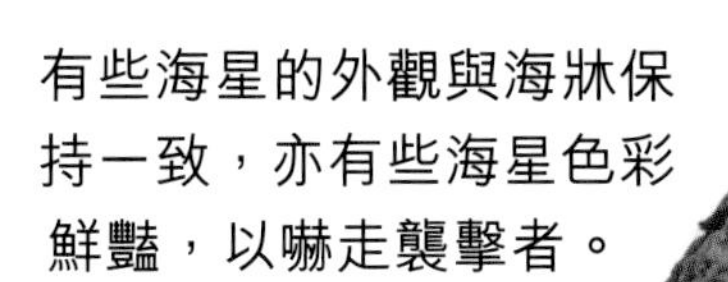

網瘤海星

向日葵海星

向日葵海星是體形最大及移動速度最快的海星之一。

內外翻轉

海星觸手上的管子會抓住食物，例如軟體動物和珊瑚，並將食物帶到嘴巴。海星會將自己的**胃部推到身體外面**，並將食物消化，然後將胃部吸回身體裏！

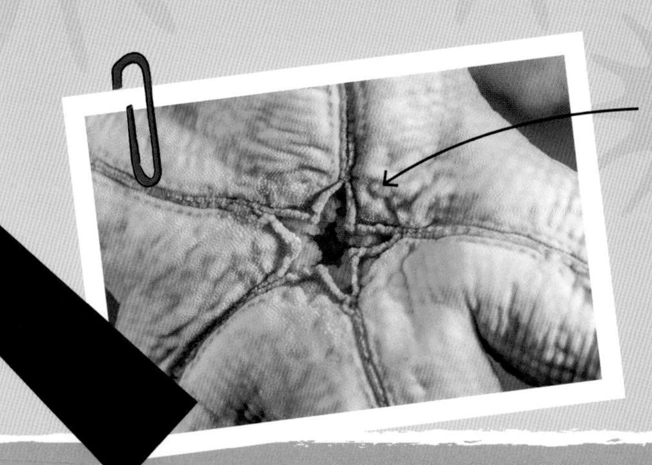

海星的嘴巴

我們這一家

海星、海參和海膽都是**棘皮動物**。牠們都有帶刺的皮膚和管狀的腳，但是沒有脊骨、腦部或心臟。

遇上襲擊時，**海參**會射出一種黏稠的物質來困住捕食者。

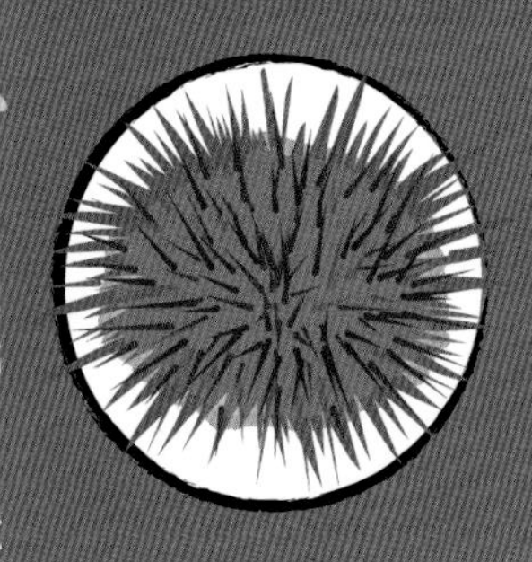

海膽擁有尖銳的硬刺，以防止敵人接近牠們。

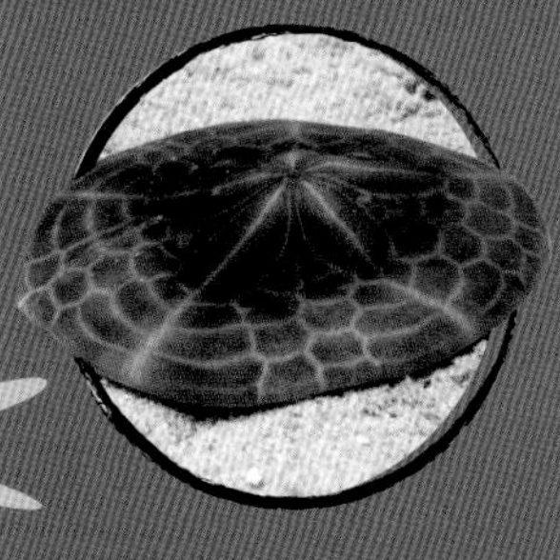

沙錢生活在海牀上，看起來就像被壓扁了的海膽，擁有較細小的刺。

令人驚歎的硬殼

許多動物擁有堅硬的外殼，以保護牠們柔軟的身體。有些海洋生物會**生活在硬殼裏**，有些則會把硬殼像**盔甲**般穿着起來。

寄居蟹

寄居蟹出生時沒有硬殼。相反，牠會**尋找**空置了的海螺殼，並搬進去居住！

海龜

海龜擁有能**保護內臟的硬殼**。與陸龜不同，海龜無法將頭或腿縮進硬殼裏。

你試過把空的貝殼放在耳邊嗎？

帶着椰子的動物

身體柔軟的章魚沒有硬殼，但牠們有時會帶着**椰子殼**移動，以作保護。受到威脅時，牠們會爬進椰子殼裏面，迅速把殼閉上！

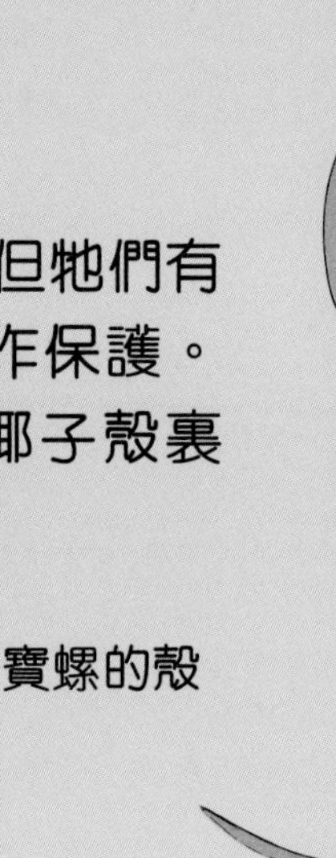

寶螺的殼

寶螺的殼曾被當作貨幣使用。

蜆

蜆生活在**兩片硬殼**中。全球各地的沙灘上都能找到牠的蹤影。

鮑魚

鮑魚是**海螺**的一種。牠的鰓會透過硬殼上的小孔釋出海水。

石鱉

石鱉的**殼板**讓牠一旦從所在的岩石上掉下來時能夠蜷曲起來，變成一團**盔甲**球。

龍蝦

隨着年紀漸長，龍蝦會蛻去身上的硬殼，展露出底下正在成長的閃亮新殼！這過程稱為**蛻殼**。

有人說這樣可以讓你聽見海洋的聲音！

活潑的螃蟹

在潮池裏尋找螃蟹是度假時的有趣活動，不過這些**動作迅速**的小傢伙比外表看來還要厲害呢！

螃蟹鋒利的爪子稱為「鉗子」，抓起物件、捕捉獵物及與襲擊者打鬥時都非常有用。

側面移動

螃蟹擁有八根以**關節連接的腿**，牠們不會向前移動，但能夠快速向**兩側**移動。這讓牠們可以輕易地迅速在沙地上行走。

螃蟹的眼睛長在眼柄上，以便留意周遭危險。如果發現了威脅，螃蟹會將自己埋進沙子裏躲避。

集體遷徙

每年澳洲聖誕島上數以**百萬**計的紅蟹會從森林遷徙到海洋裏。這段不可思議的旅程大約需時一星期。

螃蟹
過路處！

我被稱為「海岸上的拾荒者」，因為我對吃的東西從不挑剔！

螃蟹會吃蝦子。

甲殼類動物

大部分甲殼類動物**生活在水裏**，不過有些則在陸上棲息。牠們擁有硬殼，也擁有以關節連接的腿，沒有脊椎。螃蟹是最為人熟知的甲殼類動物，現在讓我們來認識其他甲殼類動物吧。

龍蝦有鉗子來捕捉食物及保護自己。

由於**藤壺**無法移動，牠們會將自己黏在岩石和船隻上。

瀨尿蝦會利用牠們隱藏着的第二組腿來攻擊獵物。

微細的**磷蝦**在水中到處漂浮時，會被許多海洋動物吃掉。

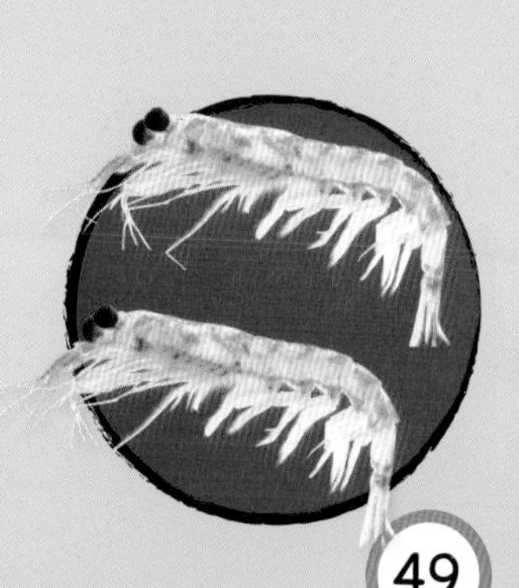

聰明的雙殼類動物

你在海岸上找到的空貝殼都曾經是身體柔軟的生物的家，這些生物稱為**軟體動物**。那些擁有由活動關節連接起來的兩片貝殼的軟體動物被稱為「雙殼類動物」。

安全的貝殼

雙殼類動物的硬殼能保護牠們免受傷害。隨時間過去，牠們利用海水中的**礦物質**，製作出牠們的硬殼。牠們有些擁有肌肉發達的「腳」，會從殼裏伸出來，協助牠們到處移動。

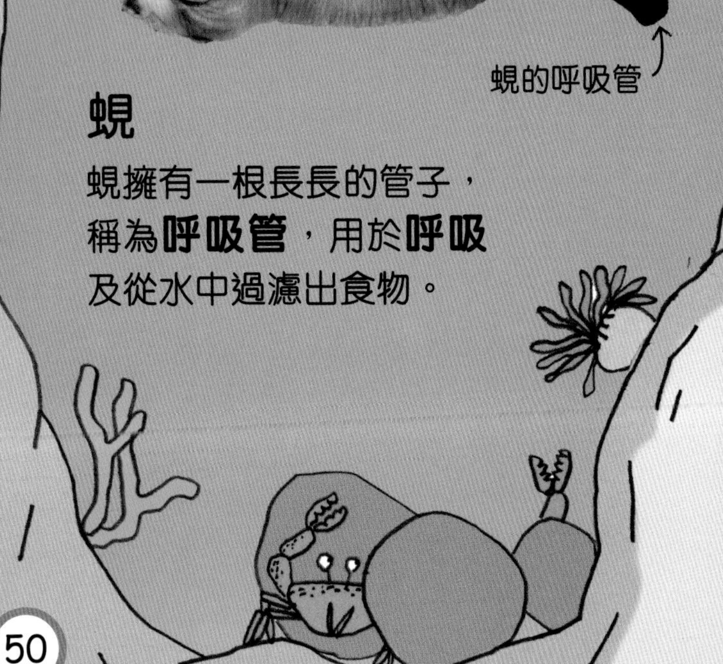

蜆

蜆擁有一根長長的管子，稱為**呼吸管**，用於**呼吸**及從水中過濾出食物。

珍珠

蠔

蠔所產生的**珍珠**是在自衛的過程中出現的。蠔會用一種稱為珠母的物質把入侵者包裹着，以將對方困在自己的殼裏。

青口

青口能夠停留在相同的地方一段長時間。牠們會利用有黏性的線將自己**固定**在岩石上，這些線是由牠們體內的液體製成的。

扇貝

敏捷的扇貝會藉着打開及迅速閉上硬殼來移動。這個動作會**把水噴出**，並推動前進，令牠們移動得較大部分雙殼類動物更快。

這種巨大的蜆是全世界最巨大的雙殼類動物！

硨磲貝

鳥蛤

若捕食者靠得太近，鳥蛤會利用牠們肌肉發達的「腳」來**挖掘**，將自己埋在沙子下逃走。

超級**魷魚**

南極中爪魷魚藏身於南極海域的深處。儘管牠是地球上現存最大的**無脊椎動物**及最大的魷魚，牠們極少被人發現。

海洋巨無霸

南極中爪魷魚是**頭足類動物**中最巨型的品種。**頭足類動物**包括了超過800種不同的章魚、魷魚和墨魚。

細小的短尾魷魚身體少於2.5厘米——就像郵票一樣大小！

我能夠生長到像一輛巴士這樣長！

眼睛

南極中爪魷魚擁有所有動物中**最巨大的眼睛**，每隻眼睛都較一個籃球更大！

找出不同之處

有時候人們會認為章魚和魷魚是相同的動物。牠們都屬於頭足類動物，並有許多共通之處，不過牠們也有許多**不同之處**……

	 章魚	 魷魚
品種數量：	300 種	298 種
腕足數量：	8 根	8 根
觸手數量：	0 根	2 根
頭部形狀：	圓形	三角形
鰭的數量：	0 片	2 片，位於頭部
身體大小：	最長達 9 米	最長達 20 米
外殼：	沒有	有骨質的內殼
棲息地：	海牀	遍布海洋
預期壽命：	3 年	5 年
血液顏色：	藍色	藍色

南極中爪魷魚擁有兩根非常長的觸手，觸手覆蓋着會**移動的勾子**，非常適合用來抓捕獵物。南極中爪魷魚會用牠的喙將獵物撕碎。

腕足

觸手

觸手上的勾子能夠緊緊將魚抓住。

巨大的**章魚**

預備一起來數數這隻巨大的章魚的許多**身體部分**吧。牠有三顆心臟，還有超過2,000個吸盤遍布牠的 8 根腕足！

北太平洋巨型章魚

章魚大概只能看見黑色與白色。

2 隻眼睛

我們不想成為章魚的晚餐！

腕足

這些腕足全都能派上用場！它們又**長**又**強壯**，能幫助章魚在海牀上到處移動，抓住獵物和岩石，還能打開蜆殼！

8 根腕足

我通常都會成為晚餐，慶幸今天能逃過一劫！

章魚沒有骨骼，所以牠們非常**靈活多變**！

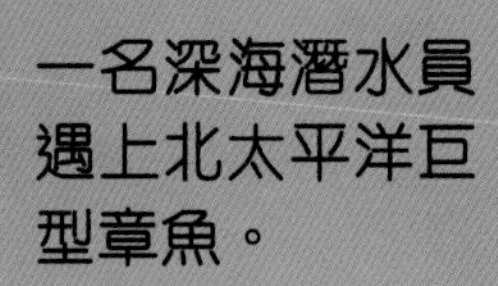

巨大的野獸

北太平洋巨型章魚較其他任何一種章魚還要巨大。牠很容易被人看見，因為牠身上鮮豔的紅色，並擁有一個巨大的頭部。牠透過把水泵過柔軟的身體來移動。

一名深海潛水員遇上北太平洋巨型章魚。

章魚藉由改變顏色隱藏在牠周遭的環境裏。

章魚的英文名稱Octopus源自拉丁語「Octo」，意思是8。

2,000
個吸盤

吸盤

北太平洋巨型章魚的8根腕足上擁有大約2,000個**有黏力的吸盤**—因此大概就是每根腕足有250個吸盤！這些吸盤非常強而有力又敏感，能讓章魚擁有味覺和嗅覺。

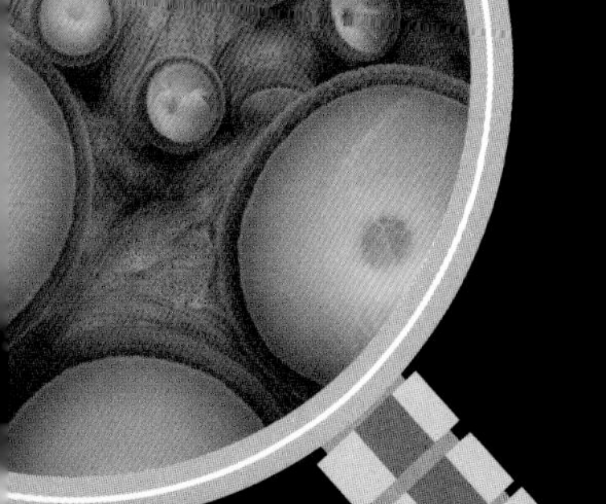

3
顆心臟

心臟

北太平洋巨型章魚擁有**兩顆心臟**，負責輸送血液到用來呼吸的鰓部。牠也擁有**第三顆心臟**，用來保持血液圍繞身體的其他部分流動。

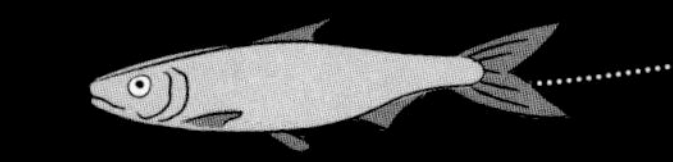

海螺與海蛞蝓

濕濕黏黏的蝸牛與蛞蝓不僅出現在你的花園裏，牠們的同類亦出現於海洋裏，擁有位於**水中的棲身之所**。

龐大的家族

所有海蛞蝓和海螺都是**腹足類動物**。大部分腹足類動物生活在海洋裏。牠們會用肌肉發達的「腳」沿着海牀爬行，或是隨着海流漂浮。許多腹足類動物擁有硬殼來保護身體。

海螺

這些腹足類動物非常顯而易見，因為牠們有**可見的硬殼**，硬殼通常都是螺旋狀的。有些海螺會捕食蠕蟲等動物，但其他海螺只吃植物。

有人將我稱為「崔萊頓的號角」，意思是希臘神話中海神崔萊頓(Triton)所帶着的海螺殼。

海蝶是一種細小的海螺。牠會利用看似一雙翅膀的「腳」上下顛倒地在海水之中「飛行」。

海洋中其中一種最巨大的海螺就是大法螺。牠擁有出色的嗅覺，用於偵測獵物，例如海星。

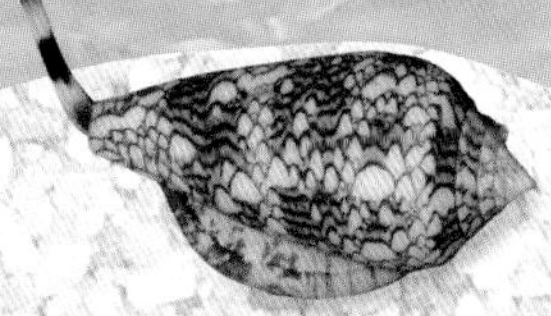

芋螺會捕捉魚類。牠的致命毒液能夠令獵物麻痺，阻止獵物游走。

海蛞蝓

部分種類的海螺演化成海蛞蝓。經過超過數百萬年，牠們已**失去身上的硬殼**。大部分海蛞蝓有明亮的色彩，進食魚類或植物。

海天使是迅捷的泳手。這種透明的海蛞蝓看起來有點像天使在水中飛舞。

我喜歡進食海蝶當晚餐。

大西洋海神海蛞蝓與牠棲息的熱帶水域外貌相配。這種海蛞蝓很細小，但能致命！牠會從獵物身上獲得毒液，並用於對付牠的捕食者。

海兔擁有兩隻長耳朵，樣子就像兔子一樣。牠是有毒的，因為牠會進食充滿有毒物質的海綿。

海洋爬蟲類動物

海洋爬蟲類動物喜歡棲息在**陸地**和**海洋**裏。牠們有些會一輩子住在大海裏，其他的只會偷偷潛入海中捕捉一些獵物當大餐。

鱷魚會在陸上生蛋。

鱷魚搬運專家

大部分海洋爬蟲類動物都會在布滿**沙子**的地方**生蛋**。當蛋孵化後，鱷魚媽媽會小心地將牠們的幼兒放進嘴巴裏帶回水中。牠們能夠於同一時間裏運送多達15隻鱷魚寶寶！

海龜誕生的時間大約與恐龍相同！

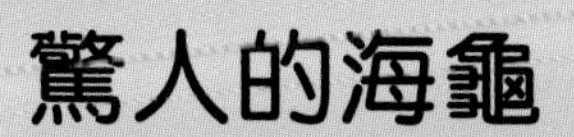

驚人的海龜

海龜一輩子都生活在大海裏，還經常長途跋涉去尋找食物。牠們幾乎能在世界上**每一處海洋**被發現。

甜蜜的家

海洋爬蟲類動物生活在世界各地水源充沛的地方。有些海洋爬蟲類動物生活在淡水水域中，例如河流，其他的則較喜歡鹹水水域，例如海洋。有些海洋爬蟲類動物喜歡淡水和鹹水混合的水域，這些水域稱為「鹹淡水交界」。

充滿鹽的噴嚏

生活在鹹水水域的許多海洋爬蟲類動物進食了**太多鹽**。但是牠們有許多聰明的方法把身體過多的鹽排出來。海鬣蜥會打噴嚏把鹽噴出來！

滑溜溜的泳手

海蛇有長而平坦的身體，最適合在海洋中**滑行**。牠們能夠摒住呼吸，一口氣在水中逗留數小時。

有些海蛇會在珊瑚礁捕獵食物。

海牀上的零食

大部分爬蟲類動物會在水中尋找食物。海鬣蜥會用牠們的爪子**抓緊**海牀，用口鼻部從岩石上刮下海藻吃掉。

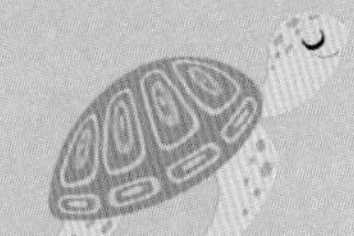

厲害的**海龜**

海龜已存在於地球上超過**1億年**，牠曾經與恐龍一同生活！時至今日，這些非比尋常的爬蟲類動物會展開漫長的旅程，以繁殖後代及尋找食物。

海龜擁有光滑的**外殼**和修長的**鰭肢**，使牠成為泳術出眾的泳手。

鰭肢

強壯的泳手

海龜一生中大部分時間都留在水中，牠擁有非常強的方向感。牠們能夠**屏住呼吸**，一口氣在水中逗留多達7小時！

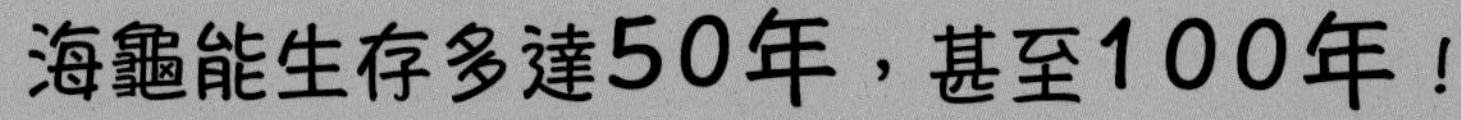

海龜能生存多達**50年**，甚至**100年**！

清潔魚會吃掉海龜外殼上的海藻和死皮。

外殼

我們不是岩石，我們是海龜！

1503年，克里斯托弗．哥倫布(Christopher Columbus)將一羣海龜誤以為是一堆岩石！

革龜

來認識一下世界上**最巨大的海龜**——牠能長成一輛小型汽車的大小！革龜沒有堅硬的外殼，但牠擁有皮革一樣的皮膚。牠會從亞洲游到美國來尋找食物。

革龜

綠海龜

綠海龜

與其他海龜不同，成年的綠海龜不會吃肉。相反，牠會進食**海草**和**藻類**為生。牠的名稱來自牠身上綠色的脂肪。

前面那些古怪的岩石是什麼？

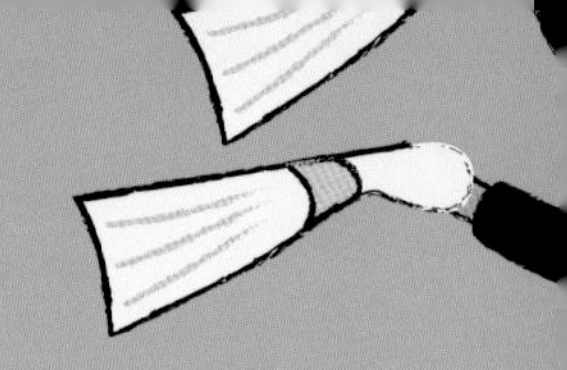

魚類朋友

魚類身上覆蓋着**魚鱗**，還會利用**魚鰭**和**尾巴**來游泳。雖然牠們有各種各樣的外形和大小，牠們都有相同的基本特徵。

地球上第一尾魚大約存在於

這條子彈形的
吞拿魚游泳速
度非常快。

特別的形狀

大部分魚類是超級游泳家，全因為牠們**流線形**的身體。牠們光滑的身體能夠輕鬆地在水中來去自如。

側面的胸鰭幫助
魚類轉身。

鰓會從水中吸取氧
氣。魚類運用鰓來
呼吸。

魚尾的秘密

看看這些魚尾的**形狀**，探索一下魚類是如何在海中游動。

新月形尾巴

像一彎新月的尾巴是最適合高速**游泳**的尾巴形狀。

槳狀尾巴

像小艇船槳的尾巴可用於**迅速攻擊**獵物。

叉狀尾巴

像一根叉子的尾巴能讓魚類輕易游到**所有方向**。

5億年前。

驚人的魚

全世界有超過32,000種魚。按照體形和骨骼，牠們可分為**三個主要類別**。

硬骨魚

大部分魚類是硬骨魚。牠們擁有由硬骨組成的內部**骨骼**，這副骨骼很堅固，但非常輕盈，讓牠們能輕鬆地游泳。強健的骨骼支撐着柔軟的魚鰭，以便靈活移動。大部分硬骨魚體內有魚鰾，協助牠們浮起來。

飛魚

我是一種硬骨魚。我運用我大片的柔軟魚鰭當作「翅膀」來逃離險境，並以高速在大海「飛翔」。

短小鰕虎魚

我是海洋裏其中一種最細小的魚類，我的身體大約與你的指甲相同大小。

翻車魚

我是世界上最重的硬骨魚，我的大小和重量就像一輛家庭汽車。

我是飛魚。看着我飛吧！

燕魟

鯊魚和魟魚都是軟骨魚。

無領魚

無領魚是最早出現在地球的魚類。**七鰓鰻**會用圓圓的嘴巴和有勾的牙齒緊緊咬住獵物，並瘋狂吸吮血液—就像吸血殭屍一樣！除了沒有領部，無領魚也沒有魚鰭和胃部。

牙齒

樣子像鰻魚的七鰓鰻和盲鰻是現時僅存的無領魚。

七鰓鰻

軟骨魚

軟骨魚的骨骼並不是由硬骨組成的，而是由一種柔軟、有彈性的物質製成，這種物質稱為**軟骨**。軟骨魚沒有魚鰾，因此牠們必須不斷游泳，否則牠們便會下沉。

月魚

科學家近期發現了月魚。月魚是一種能夠將加熱了的血液在身體內循環流動，以在寒冷水域保持溫暖的魚類。牠們是已知唯一一種完全溫血的魚類。

非凡的**海馬**

海馬有像馬一樣的頭部和蜷曲的尾巴，樣子相當**古怪**。牠們與海龍和剃刀魚的關係密切——多怪異的海洋家族呀！

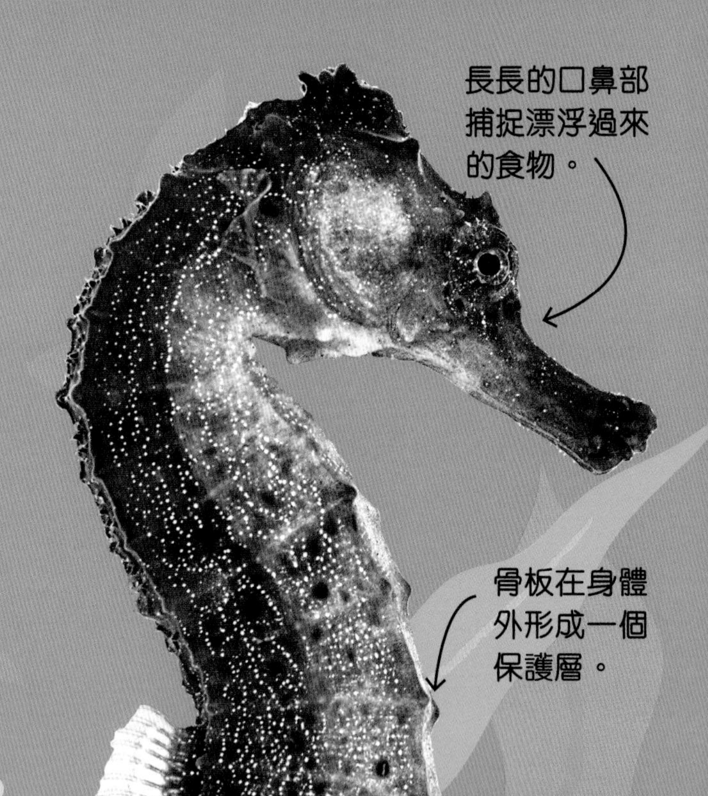

海馬

雖然海馬的樣子不太像魚，但牠們確實是**魚類**。牠們會保持自己身體垂直，而游泳技術很糟糕，但牠們全身都有骨板，以保護牠們免被捕食者吃掉。

海馬會用牠們**管狀**的嘴巴**吸吮**食物。

眼睛能夠四周旋轉，以看清楚不同的方向。

海龍

這種外貌**像龍**一樣的小生物是海馬的親戚。牠們色彩鮮豔，裝飾華美，與海草渾為一體，令捕食者難以察覺牠們。

剃刀魚

瘦削有型的剃刀魚擁有修長而**流線形**的身體，有點像水中的蠕蟲。這令牠較牠的親戚海馬和海龍更擅長游泳。

修長及瘦削的身體

海馬寶寶被稱為海馬苗。

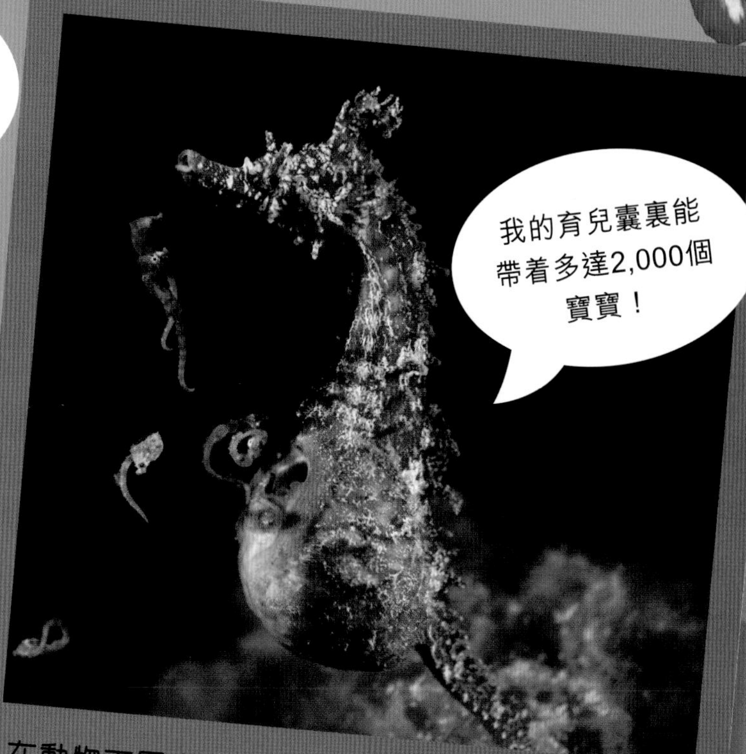

我的育兒囊裏能帶着多達2,000個寶寶！

在動物王國裏，雌性通常負責孕育寶寶。但是對海馬來說，經歷懷孕過程的卻是雄性。牠們會將受精卵保存在腹部的育兒囊裏，直至孵化。

葉形**海龍**

生活在澳洲南部海岸的葉形海龍會在海洋裏到處浮游，**偽裝**成漂浮的海草。

仿如葉子的外貌

葉形海龍的名字源於在牠們的頭部、身體和尾巴上懸掛着的**綠色**像**葉子**一樣的皮膚薄片。這別樹一幟的外貌讓牠們能夠躲在海草與海藻之中，不會被捕食者或獵物發現。

聰明的保護色

海龍能**改變顏色**，以便與周遭的環境融合。牠們的飲食和年齡會影響牠們改變顏色的能力。

雄性海龍會將受精卵黏在身上！

慢慢慢慢動作前進

緩慢的泳手

葉形海龍並不會匆匆忙忙的！牠們會以超級緩慢的速度在海洋裏移動。在牠們頭上的**胸鰭**協助牠們控制前進方向，而**背鰭**則協助牠們推進。

海龍會用牠們管狀的口鼻部當作吸管，吸食細小的海洋生物。

秘密防衛屏障

海龍的身體被具有保護性的**骨板**及鋒利的**尖刺**覆蓋住，作為自衛。

平滑發亮的鯊魚

鯊魚是超級獵人，稱霸海洋**數百萬年**。這些迅捷的泳手能夠大口咬噬獵物，還能夠從遠處嗅到水中的血腥味。

強而有力的尾巴推動鯊魚迅速地在水中游動。

魚鰭有助鯊魚在海洋裏活動自如。

大與小

現今世界上有超過510種鯊魚，牠們有**各種各樣的形狀與大小**。鯨鯊的大小就像一輛巴士，而侏儒燈籠鯊卻能夠躺在你的手掌心裏。

鎚頭鯊

這種鯊魚擁有**寬闊的頭部**及出色的視力。牠們鼻孔和眼睛長在頭部的兩側，協助尋找獵物。

長鼻鋸鯊

長鼻鋸鯊擁有像**鋸子**一樣的口鼻部，並有長長的**觸鬚**從口鼻部垂下來。這些特殊的器官能夠偵測海牀上的獵物。

觸鬚

巴西達摩鯊

巴西達摩鯊大約長50厘米——那是人類嬰兒出生時的平均身長。這種細小的鯊魚喜歡偷偷接近大型生物，然後從牠們身上咬下**圓形的大肉塊**。

格陵蘭鯊

這種巨大的鯊魚是現存最古老的脊椎動物，能夠生存超過400年。牠們會緩慢地游過寒冷的**北冰洋**。牠們沒有視覺，只能靠嗅覺獵食。

魟魚和鰩魚

這些為人熟悉的**比目魚**擁有長長的尾巴和翅膀形狀的鰭。牠們有些會把自己埋在沙子下躲藏起來。

魟魚和鰩魚是鯊魚的親戚。

是魟魚還是鰩魚？

如何分辨出魟魚和鰩魚的不同之處呢？魟魚擁有有毒尖刺的長尾巴，用作自衞。鰩魚的尾巴則較魟魚的粗壯和短小的多。牠沒有毒刺，對人類無害。

魟魚的尾巴

鰩魚的尾巴

紀錄保持者

孔鰩是世界上最重和最巨大的鰩魚。這種非凡的游泳好手會進食海牀上的螃蟹，以及在海洋中游動的魚類。

帶刺的海洋生物

輻鰩渾身長滿了尖刺，牠看起來就像史前恐龍。

巨大的鬼蝠魟是世界上體形最大的魟魚。

張大嘴巴！

鬼蝠魟擁有長長的尾巴，但沒有尖刺。這種溫柔的巨無霸會一邊游泳一邊張大嘴巴，以捕食小魚和浮游生物。

鬼蝠魟被稱為「魔鬼魚」，因為牠們的舌狀鰭看起來就像魔鬼的角。

超級尖刺

踏中了**南方魟**會令你被刺得很痛，但是這種魟魚不會故意傷害你。牠白天會在沙堆裏休息，晚上會獵食軟體動物和蠕蟲。

銀鮫

魟魚和鰩魚都與一種稱為銀鮫的魚**有關**。這些魚看起來很相似，牠們都有大大的頭部、圓圓的口鼻部和長長的身體，而且大部分都有光滑的皮膚，沒有鱗片。

除了大西洋，銀鮫生活在所有海洋中！

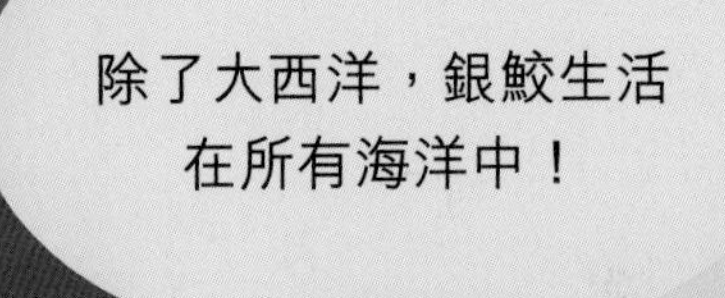

葉吻銀鮫

潛泳的海豚

海豚是**鯨豚類動物**——牠們是哺乳類動物，就像我們一樣，但牠們生活在海洋裏。牠們最為人熟悉的就是聰明、愛說話和可愛的樣子！牠們怎會不教人喜歡呢？

親密無間

海豚喜愛互相作伴，因此牠們會組成緊密的羣組一起生活，稱為**海豚羣**。海豚羣會一起游泳、獵食和玩耍。

當海豚想要飽餐一頓時，牠們會合作將大羣的魚驅趕到同一個地方。牠們會將魚重重包圍，好讓魚無法逃脫。

遊戲時間

海豚是友善又**貪玩**的動物。牠們喜歡游近船隻，並一起躍出水面。

關懷與分享

海豚互相之間很**友善**。牠們會分享食物，一同養育幼小，互相保護。海豚據知亦會在人類需要協助時前來伸出援手。

半夢半醒

睡覺時，海豚每次只會讓腦部的**其中一邊**休息。這讓牠們能夠保持警覺，提防鯊魚靠近。

吱吱！

我睡覺時會保持其中一隻眼睛張開。

的的答答，吱吱，嗖嗖！

神奇的鯨魚

鯨魚體形非常龐大！這種喜愛社交的生物擁有厚重的身體、巨大的肚子，還有不可思議的有力尾巴。

海洋哺乳類動物

鯨魚是哺乳類動物，因此牠們需要游到海面上呼吸空氣。位於鯨魚頭頂的**噴氣孔**就像巨型鼻孔，幫助牠們呼吸。

渾身皺巴巴的**抹香鯨**不僅巨大，聲音也很響亮！牠能發出非常吵耳的的答聲，在15公里外都能被聽見。

抹香鯨

抹香鯨的巨大鼻子能幫助牠發出響亮的聲音。

弓頭鯨相信是地球上其中一種**最長壽**的動物！

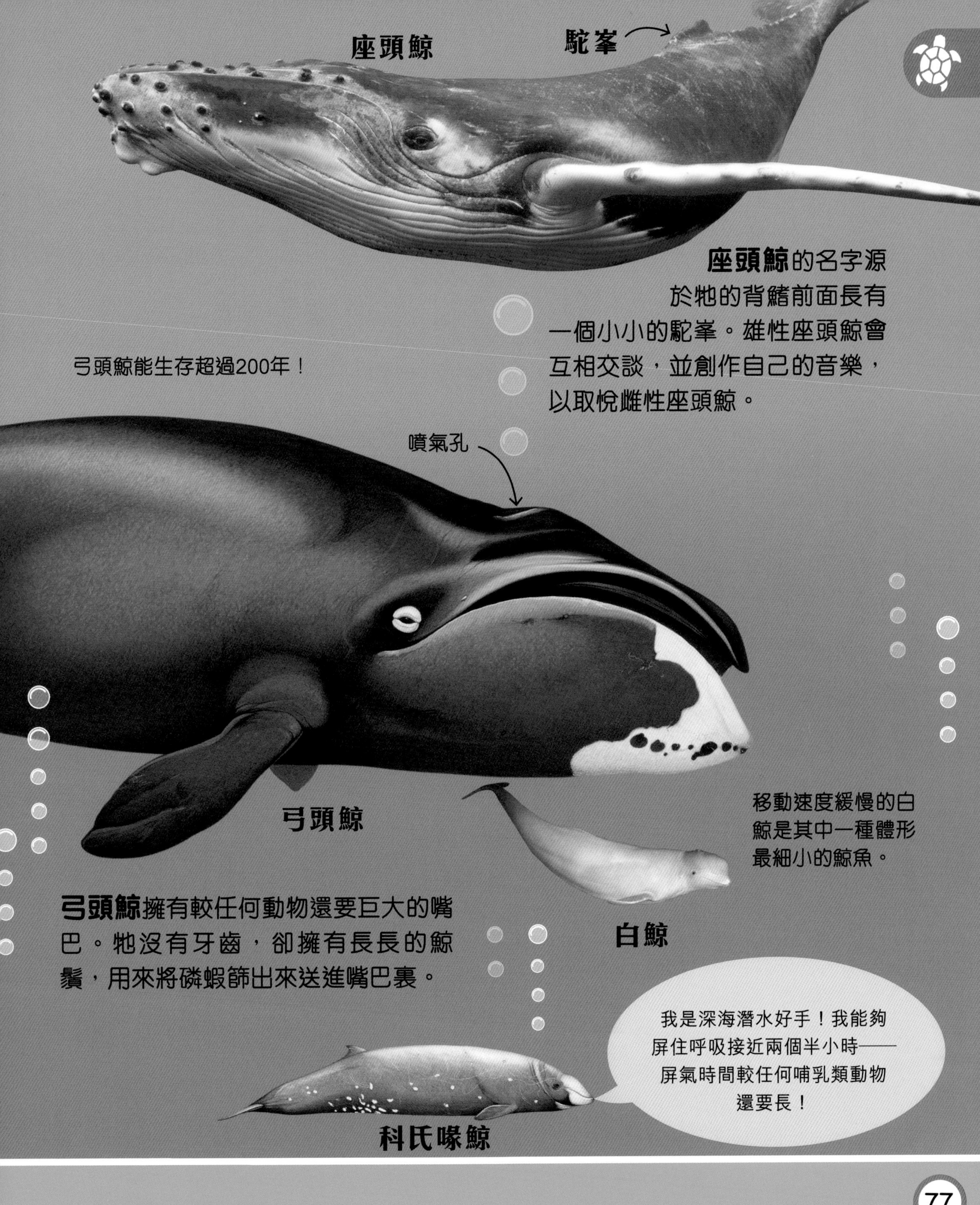

座頭鯨的名字源於牠的背鰭前面長有一個小小的駝峯。雄性座頭鯨會互相交談，並創作自己的音樂，以取悅雌性座頭鯨。

弓頭鯨能生存超過200年！

弓頭鯨擁有較任何動物還要巨大的嘴巴。牠沒有牙齒，卻擁有長長的鯨鬚，用來將磷蝦篩出來送進嘴巴裏。

移動速度緩慢的白鯨是其中一種體形最細小的鯨魚。

大藍鯨

來認識一下地球上**最巨大**和**最沉重**的生物吧！這種鯨魚是海洋中的重量級巨星，憑着龐大的體形打破了各種各樣的紀錄。

體形龐大的哺乳類動物

藍鯨是世界上體形最龐大的動物——甚至**較恐龍更大**！除了北冰洋，我們能在每個海洋中發現這種龐大動物的蹤影。

藍鯨的尾巴稱為「尾鰭」，尾巴上有兩片瓣。

尾鰭會上下擺動，推動藍鯨游過海洋。

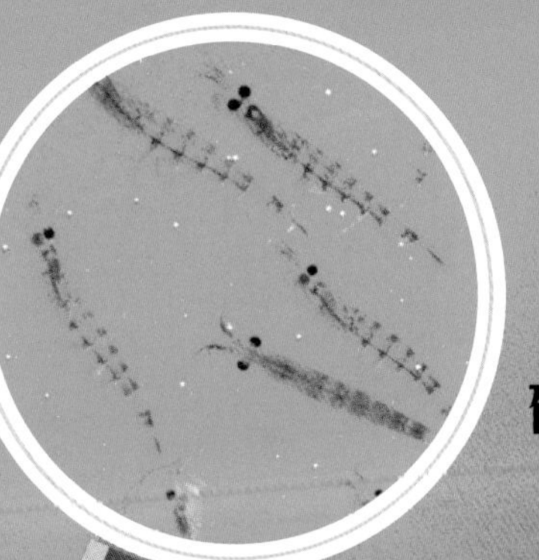

磷蝦

藍鯨每天會進食約4噸磷蝦！

30.5米

成年藍鯨的長度等同七輛汽車！

藍鯨寶寶在出生後數分鐘便學會游泳。

快高長大

藍鯨寶寶被稱為幼鯨，牠們是任何物種中體形**最大的幼小**。牠們靠媽媽的乳汁維生。幼鯨會喝許多乳汁，令牠們每天會增加等同5個人類兒童的體重！

牠們皮膚上的斑點獨一無二，就像你的指紋一樣。

由藍鯨的噴氣孔噴出的水霧可噴到9米高—等於兩隻長頸鹿的身高！

牠們擁有修長及流線形的身體。

每隻眼睛的大小等同一顆西柚。

巨大的鰭肢有助藍鯨游到不同方向。

藍鯨重達150公噸，幾乎像一架珍寶噴射機一樣重！

藍鯨的歌聲在數公里外都能被聽見！

從前，獵人會用獨角鯨的長牙假裝成獨角獸的角出售，以賺取大筆金錢。

海洋中的**獨角獸**

鼎鼎有名的**獨角鯨**被稱為「海洋中的獨角獸」，全因為牠那根螺旋形的長牙。不過牠不是神話中虛構的生物，而是真實存在的鯨魚，生活在北冰洋冰凍的海域裏。

長牙

專家認為雄性獨角鯨擁有長牙是為了吸引雌性，尋找食物和互相打鬥。

巨大的牙齒

雄性獨角鯨與其他海洋生物不同，因為牠擁有長得不可思議的牙齒。這根**巨大的牙齒**是獨角鯨擁有的唯一一種的牙齒。有些雄性獨角鯨會長出兩根長牙，而有些雌性獨角鯨也會長出一根細小的長牙。

獨角鯨能生長至3米長——大約等同一輛小汽車的長度！

海鮮大餐

獨角鯨會吃許多種類的美味海鮮，包括北極鱈、馬舌鰈、魷魚和蝦。牠們的嘴巴裏面沒有牙齒，因此牠們會將食物**一大口**吞下。

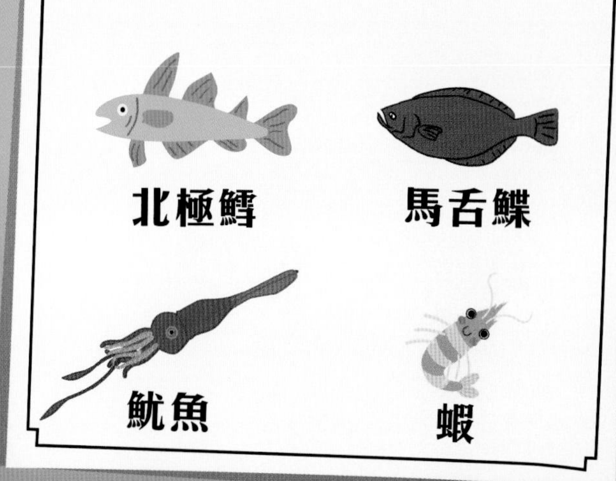

呼吸新鮮空氣

獨角鯨需要浮上水面呼吸空氣——就像其他哺乳類動物一樣。牠們會從冰塊中戳出**噴氣孔**，然後潛回冰凍的海洋中。

獨角鯨能夠屏住呼吸長達25分鐘。

冰封的深海

北冰洋裏的生活非常艱苦，但是獨角鯨不會像其他鯨魚一樣遷徙。相反地，牠們會藉由前往較深的水域附近，**躲在冰塊下**數個月，以度過漫長和寒冷的冬天。

以數量保障安全

獨角鯨會成為北極熊和海象的獵物。因此，牠們會以大約10至20條組成**一組**，有時甚至聚集多達100條一起游泳，令捕食者較難選定一條鯨魚為目標。

海象、海豹與海獅

鰭足類動物是一羣生活在水中的哺乳類動物，包括海豹、海象和海獅。牠們在陸地上活動時姿態怪異，但是在水中優雅滑翔。所有鰭足類動物身上都有一層厚厚的**脂肪**。

海象

海象擁有**巨大的長牙**。牠們會用長牙打鬥，將牠們龐大的身體拖離水中，以及從水裏在冰塊中開鑿出呼吸用的洞口。

海豹

鰭足類動物中最大的一羣是**無耳**海豹。其實牠們擁有耳朵，但是隱藏在皮膚下面。這些海豹會透過扭動肚子在陸地上移動。

菱紋海豹寶寶生活在寒冷的水域裏。牠們毛茸茸、雪白的毛皮幫助牠們隱藏在雪地裏。

海獅

與海豹不同，海獅擁有**外耳**。這些迅捷的泳手擁有長長的鰭肢，能夠協助牠們在陸地上「走路」。

髯海豹擁有敏感的鬍子，用來感知海牀上的獵物，例如螃蟹。

雄性冠海豹的鼻子上有一個有彈性的紅色「冠」，能夠像氣球一樣膨脹起來。

吼胡！
吼胡！

象鼻海豹是所有海豹中體形最巨大的，能夠生長至6米長—那就像一尾大白鯊一樣長！

愛玩的企鵝

這種鳥類**不會飛行**，但是牠們在冰天雪地的家園裏到處移動也沒有任何困難呢。

有些企鵝會用肚子在冰上滑行。

要迅速移動時，企鵝能夠躍出或「竄出」水面。

迅捷的游泳好手

企鵝**天生**就能在水中暢快游泳，牠們一生大部分時間留在海洋裏。許多企鵝是迅捷的泳手，牠們的速度在獵食魷魚等食物時派上用場。

流線形的身體有助企鵝游泳時在水中滑行。

魷魚

不妙了！

牠們會以堅硬的鰭肢控制方向。

在陸上抱團

皇帝企鵝預備**產卵**及養育幼鳥時會回到陸上。雄性企鵝會保持企鵝蛋溫暖，牠們用毛茸茸的身體保護企鵝蛋，直至企鵝蛋孵化。

皇帝企鵝孵化後，牠們會立即成羣地抱團在一起，而牠們的父母會尋找食物。

帶蹼的雙腳能迅速推動企鵝在水中穿梭。

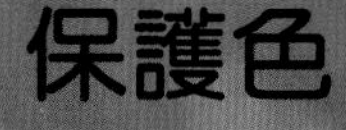

穿上了這套新的偽裝後，便沒有人能夠看見我！

保護色

企鵝黑色與白色的羽毛是一種**保護色**。黑色的背部和身體部分令牠們從上方被看見時能夠與黑暗的海洋混為一體，而白色的肚子則幫助牠們從下方被看見時融入陽光普照的海面。

翺翔的海鳥

海鳥飛向海洋，從高空在**波濤間獵食**。有些海鳥會掠過海面獵食，其他海鳥則會潛進海浪深處尋找食物。

天生的求生者

海鳥擁有許多**特殊身體結構**來幫助牠們在海洋中存活。牠們有腺體來過濾海水中的鹽，還有帶蹼的雙腳來划水。有些海鳥擁有形狀特別的翅膀，幫助牠們游泳，而其他海鳥擁有寬闊的翅膀，以便長途飛行。

紅嘴鷗

這種海鳥生活在海邊的**大型築巢羣落**裏。牠的食物包括魚和螃蟹，甚至人類的食物殘渣！

白尾海鵰

這種海鳥會俯衝而下，用**鋒利的爪子**抓魚。牠也有廣闊的翼展，比大部分較高的人的身高更寬！

北極燕鷗

北極燕鷗較任何鳥類還要飛得遠。每年，這種細小的鳥都由牠位於**北極**的繁殖地點，出發前往位於**南極**的暑期覓食地點。

信天翁

漂泊信天翁是體形最大的海鳥。牠會滑翔越過海洋，**跟隨船隻**來尋找食物。

褐鵜鶘

這種鵜鶘會下潛，並將魚和水收集在牠的**喙部**裏。然後，牠會把水吐出來，並把魚吞進肚子裏。

海洋環境

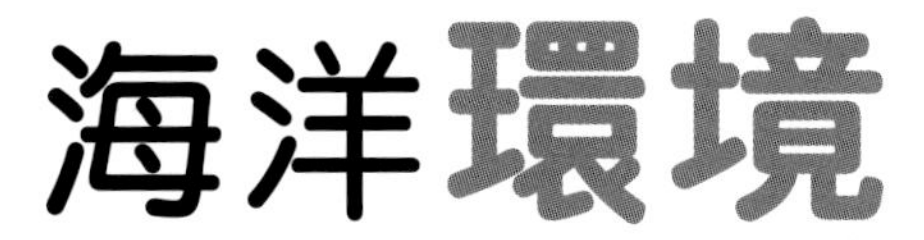

海洋裏有**不同種類的棲息地**。一起跳進陽光充沛的熱帶水域，或試試把腳趾頭放進冷得結冰的極地海洋吧。在這趟探索瑰麗海洋王國的奇妙旅程中，你將會看到色彩鮮豔的珊瑚礁、昏暗的海藻森林及濕軟的紅樹林。

海濱

紅嘴鷗

海濱會受到強風吹襲和海浪沖擊，又會受潮汐沖刷。植物和動物必須能夠適應在這些**具挑戰性**的環境中生存。

蠣鴴

蛾螺

紅腹濱鷸

藤壺

我們一生中一半時間都在水外面！

青口

笠貝

鼠蟬蟹會往後掘沙，將自己埋進沙堆裏，同時讓眼睛留在海裏來尋找食物。

你在海濱嗎？

海濱主要有4種類型：

許多海濱被沙粒覆蓋着。

泥灘是由淤泥和黏土組成。

有些海濱上有細小的卵石或沙礫。

有些海濱地區被岩質懸崖包圍着。

潮池是往外退卻的潮汐所留下的小水池。有些生物生活在潮池裏。

在潮間帶裏

潮間帶是漲潮線與退潮線之間的區域。漲潮時，潮間帶會被水淹沒。退潮時，潮間帶大多是乾的。在這裏生活的生物必須同時適應水淹和乾燥的環境。**淋濺區**則是剛超過漲潮線的區域，在風暴中可能受到強風和拍岸巨浪衝擊。

海岸棲息地

海岸雖然看似平靜，但地球上某些最**繁忙**的棲息地正是位於海岸線上。

河口

河口是一處**水源充沛的區域**，在那裏河流結束它的旅程，匯入大海。河口是河流的淡水和大海的鹹水混合的地方。

泥灘

泥灘是一大片**平坦**及**布滿淤泥**的土地。潮漲時泥灘會被淹浸，因此只會在退潮時看見泥灘。泥濘的物質和來自河流與大海的微細粒子會在退潮時留在泥灘上。

鹽沼

鹽沼是指有時被鹹水覆蓋的陸地。**泥灘**也可以成為鹽沼。在潮汐無法把土壤沖走的地方，植物在那裏落地生根。這些植物會將土壤固定住，並生長出更多植物。

潟湖

潟湖是因大海被礁石或沙洲分隔開而形成的淺水池。這些**靜止**和**封閉**的水域沒有潮汐或洋流。

植物和長長的青草是小型野生動物的理想藏身之所。

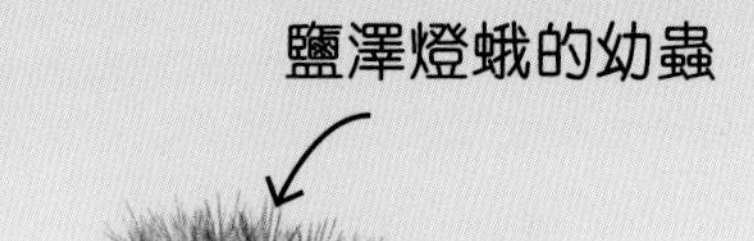

鹽澤燈蛾的幼蟲

尖耳螺

許多蠕蟲、昆蟲、螺和蝦生活在鹽沼裏。牠們會引來飢餓的魚和鳥。

赤足鷸

紅樹林

樹木和灌木生長在溫暖熱帶海洋的沿岸，形成美麗的**紅樹林**。它有一部分浸沒在水中。許多生物會在紅樹林的枝幹及根部棲息和獵食。

印度的**孟加拉虎**在潮濕的紅樹林獵食。牠們游泳追捕獵物。

招潮蟹生活在海岸。每一隻雄蟹都擁有一個大鉗子，牠們會用這個大鉗子來守衛自己的領土。

潮漲時，**灣鱷**會在溫暖的紅樹林水域中游泳，尋找牠們的下一頓大餐。

許多動物依靠紅樹林所提供的食物，

紅樹林的土壤很稠密又沒有空氣。有些樹林的根部會長出地面，以吸取空氣中的氧氣。

彈塗魚是生活在泥地洞穴裏的魚。牠們利用自己的魚鰭躍過泥地表面。

射水魚會向棲息在紅樹林樹葉上的昆蟲噴射水柱，這樣會把昆蟲撞跌到水中，讓牠們能夠把昆蟲吃掉。

並將紅樹林作為**棲息地**。

海草草原

關於草原，你大概會想起陸地上的草原，但**海底**裏的一片片**海草**，也就是廣闊的「海草草原」。那裏是許多奇妙動物的家園。

管海馬

太陽照耀的花園

大片的海草需要**許多陽光**才能生長。它們可在水不太深的海岸中出現，那裏陽光較能容易接觸到海草。

牢牢抓住！

海馬會用牠的尾巴**抓緊**海草，以免被海浪沖走。

有些海草的葉子修長幼細，就像意大利粉一樣！其他海草的葉子則較短而肥大。

超級海草

海草幫助保持海洋**清潔**。它們能夠過濾周邊的水，並阻止海牀被水流沖走。

淺灘草

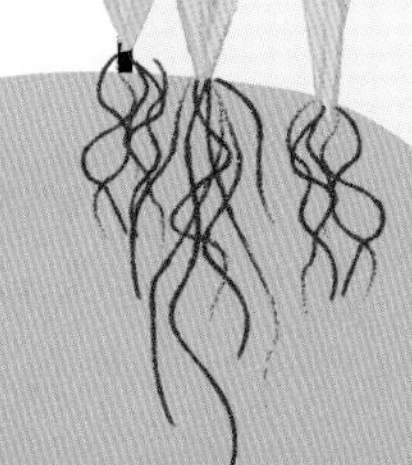

星草

海牛是唯一一種素食的海洋哺乳類動物。

海草草原是數以千計魚類寶寶的家，因此常被稱為「育兒所」。

胃口驚人的食家

海牛吃掉大量的海草。牠每日會花上至少八小時來吃海草。

漂亮的花朵

海草看起來有點像海藻，但是海草更像陸地上的**植物**。它們擁有種子、果實和花粉。海草的花朵非常罕見，因為它們只會在短時間內開花。

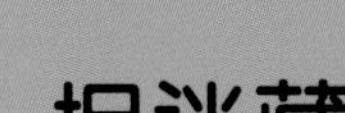

大洋海神草

尖海龍

捉迷藏

這種又長又瘦的尖海龍與某些海草的大小和形狀很相似，因此牠們能夠輕易**躲開**經過的捕食者。

海藻林

在全球各地清涼及淺水的沿岸水域裏，生長着一種特別的**海藻**，稱為「大型褐藻」。當大型褐藻茂密生長，便能形成壯觀的水底森林，為許多海洋生物提供舒適的庇護所。

梨形囊巨藻是世界上最大的海藻。它能生長至45米高——大約是一幢4層建築物的高度！

像葉子一樣的葉狀體從藻柄上生長出來。

充滿空氣的球莖能令大型褐藻浮起來。

海馬

烏鯊

大型褐藻每日能生長超過半米——大約是一個嬰兒的身長！

茂密的大型褐藻是海獅獵食魚類時的絕佳藏身處。

海獺會將自己包裹在葉狀體裏，並漂浮在水面上休息。大型褐藻能防止牠們隨水漂流。

海膽的底部擁有鋒利的牙齒，牠們會用牙齒來吃掉大型褐藻的假根。海獺會吃掉海膽，間接保護了大型褐藻。

藻柄是大型褐藻的支幹。

假根會將大型褐藻固定在海牀的岩石上。

珊瑚礁

珊瑚礁在全球各地的熱帶海域中發現。這些色彩繽紛的水中**棲息地**充滿了海洋生物。來吧，一起跳進珊瑚礁看看吧！

形成珊瑚

珊瑚礁是由稱為「珊瑚蟲」的小生物組成。數千計的珊瑚蟲生活在一起，形成巨大而堅硬的**結構**，稱為「珊瑚」。

受保護的珊瑚蟲

珊瑚蟲是極為細小的海洋生物，受堅固的外殼保護。牠們死後，牠們的骨骼會堆積在同伴的身上。

大堡礁是世界上最大的

大堡礁在
太空上也能
被看見！

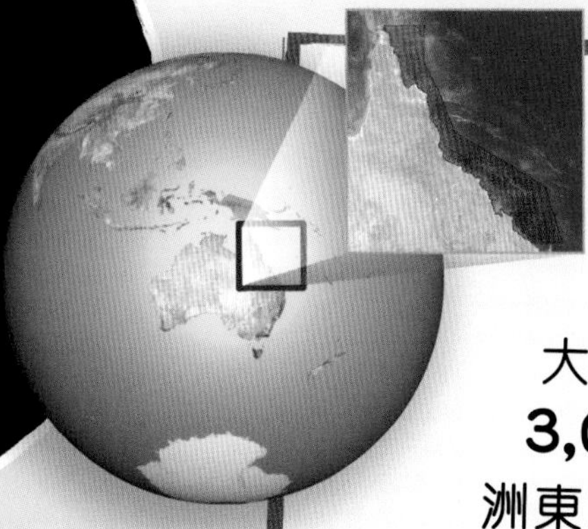

壯麗的珊瑚礁

大堡礁非常巨大！它是由超過**3,000個珊瑚礁**組成，貫穿澳洲東北部沿岸的珊瑚，並延伸至數千里。

水中訪客

法例規定了遊客能在哪裏潛水、航行及垂釣，以確保珊瑚礁不會遭受**更多破壞**。

外礁最適合水肺潛水。外礁的水較內礁的水更深，是較大魚類的家園。

大堡礁是大約600種色彩絢爛的珊瑚的家。

軸孔珊瑚

柳珊瑚

腦珊瑚

內礁有較多遮蔽處，亦較淺水。

珊瑚礁。

珊瑚礁裏的生命

珊瑚礁只在少於1%的海洋裏存在，但是它們為**25%**的海洋生物提供了居所與遮蔽處！一起來認識珊瑚礁裏的生物，看看牠們令這個岩質的彩色世界生氣勃勃。

活躍又忙碌

珊瑚礁**布滿了海洋生物**。海牛和海豚會游過神出鬼沒的鯊魚身邊、沿路還有拍動寬闊魚鰭的魟魚及閃閃生輝的魚羣。在海床上，海蛇尋找獵物，而不同種類的魚正咬噬珊瑚飽餐一頓。

珊瑚礁被稱為海洋中的

體形龐大的鬼蝠魟
由較細小的魚協助
清潔身體。
鬼蝠魟
海龜
烏翅真鯊
金梭魚利用牠強而有
力的顎部和尖銳的牙
齒來捕捉獵物。
金梭魚
海綿
海膽
獅子魚
神仙魚
藍環章魚
我的外型與我的
家巧妙地融合，讓我能
藏身海牀，出奇不意地
抓到獵物！
鬚鯊

「熱帶雨林」。

天然礁石

不是所有礁石都是由珊瑚組成的。世界各地有不同種類的礁石。這些天然的**水中屏障**可由岩石，甚至海洋生物所組成的。

岩礁

位於水下的岩石成為野生動物的避風港。海藻和海葵依附在岩石上，而魚類在岩石因海浪沖擊所形成的**裂縫**與**洞穴**中躲藏。

蠔礁

蠔會與堅硬的物質表面結合，形成礁石。蠔礁能讓海洋生物躲藏、清潔海洋，並作為屏障來**防止**海岸被風暴與潮汐**侵蝕**。

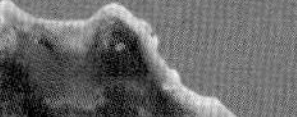

蠔

礁石是什麼？

礁石是一道**海脊**，位於海洋**表面**或剛好在海面以下。
礁石吸引大量海洋生物來覓食或尋找棲身之所。

龍介蟲礁

龍介蟲會聚集在一起，並形成巢穴。牠們組成的礁石看起來就像巨大的**水中叢林**，海洋生物會前來探索。

龍介蟲

火焰貝礁

火焰貝是一種帶有炫目橙色的蛤，牠們會用貝殼和石塊來**建造巢穴**。數以百計的巢穴連結在一起，在海牀上形成一片密集的礁石。

火焰貝

人工礁石

　　礁石可以是人工的，它們是由**人類製造出來**的。我們已經建造人工礁石數千年！

建造人工礁石的原因

礁石可作為**安全屏障**，以保護海岸線免受風暴破壞和侵蝕。它們也能成為海洋生物的合適棲息地。

人造結構可用來製作海洋裏的礁石。

礁石球

由混凝土製成的礁石球表面布滿孔洞，它們會被掉進大海裏，讓野生海洋生物在當中居住。它們是魚類及其他海洋生物**理想的遊樂場**。

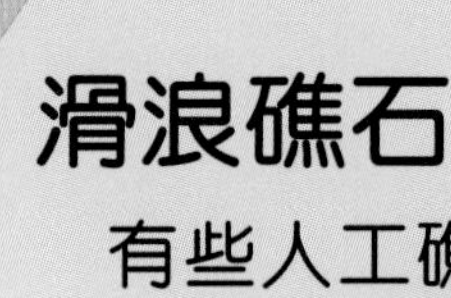

滑浪礁石

有些人工礁石被用來在美國加州及澳洲部分地區**製造海浪**。這些水底結構經過設計，以製造最合適的海浪，供滑浪好手挑戰。

沉沒的船隻

古舊的船隻可成為出色的人工礁石。美國軍艦明鏡格羅夫號於2002年在美國佛羅里達礁島羣外海沉沒，成為了全世界最大型的人工礁石。這個礁石吸引了潛水員和**海洋生物**，包括熱帶魚羣。天然的珊瑚亦逐漸覆蓋船身。

明鏡格羅夫號

在菲律賓宿霧的馬拉帕斯卡島，珊瑚在一輛沉沒了的吉普車上生長。

沉在水中的貨車輪胎使馬拉帕斯卡島的珊瑚礁變得更豐富，並修復了珊瑚礁受損的部分。

冰封的海域

北極和南極是地球上**最寒冷**的地方，而圍繞着南北兩極的海洋是酷寒刺骨的呢。這些水域太冷了，甚至凝結成冰。

北極地區

赤道

海洋裏最寒冷的區域都遠離赤道。

南極地區

我們會用鋒利的爪子抓緊海冰。

海冰

海冰

海水凝結稱為「海冰」。隨水漂浮着的厚厚**冰層**在海洋的表面上形成。這些冰層可以變得很厚，讓動物在上面行走。

冰川冰

冰棚

冰山

冰棚

淡水凝結時會形成「冰川冰」。這種冰會在陸地上形成，並能夠不斷增長，直至抵達海岸線。當冰川冰延伸至越過水面，便成為「冰棚」。

位於加拿大的沃德亨特冰棚已有數千年歷史。它是北極最大的冰棚。

羅斯冰棚是南極洲最巨型的冰棚。

小心！前面是冰山
的頂部！

冰山

巨大的冰塊可能從冰棚上崩落，並跟着洋流漂浮。這些**巨大的冰塊**稱為「冰山」。冰山的一大部分隱沒在水面以下。

船隻必須提防撞上漂浮着的冰山。

平頂冰山

冰山的種類

冰山有不同的**形狀和大小**。有些冰山有陡峭的側面和平坦的頂部，有些則有傾斜的側面和圓圓的頂部。

楔形冰山

冰山B-15A是有紀錄以來最巨型的冰山。在2000年，它從羅斯冰棚斷裂時，面積較牙買加還要大，但是它之後只分裂出較細的碎片。

尖頂冰山

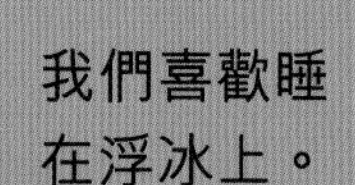

冰拱

冰山能像細小的國家一樣大！

北極地區

赤道

南極地區

北極海域

北冰洋位於地球頂部的北極附近。那裏有狂風與嚴寒的天氣，在北冰洋生活的動物必須**適應**求存。

北極熊的身體擁有厚厚的脂肪層，並有防水的毛皮，讓牠們在寒冷的北冰洋裏游泳時仍能保持溫暖。到了冬天，冰極熊會在冰上捕食海豹。

獨角鯨是一種在極地生活的鯨魚，牠擁有長長的獠牙。牠的皮膚下有厚厚的脂肪層，讓牠保持溫暖。

北極非常寒冷，但那裏的氣溫正逐漸上升。

擁有鋒利牙齒的**殺人鯨**，又稱**虎鯨**，是海豚家族的一員。殺人鯨在不同的海域裏出沒，但是隨着海冰融化，有更多殺人鯨會逗留在北極海域。

隨着氣溫上升，北極的動物失去了牠們賴以出行及獵食的海冰。

像獨角鯨一樣，**豎琴海豹**的皮膚下擁有脂肪層來保暖。牠們擁有鰭肢和光滑的毛皮，有助牠們迅捷地游泳，在寒冷的水域中獵食。

南極海域

南冰洋是超級寒冷的水域，位於地球上極南的位置。但是，那裏有很多**獨一無二的動物**，能夠在極端的寒冷中生存。

只有兩種企鵝長年生活在南極洲。**皇帝企鵝**是世界上體形最大的企鵝，而**阿德利企鵝**是其中一種最嬌小的企鵝。

阿德利企鵝

南極鸌

南極鸌是南極少數的原生鳥類之一。其他品種的鳥類會在每年裏從南極與其他地方來回往返。

南極磷蝦是南極水域的原生動物。許多極地動物，例如鯨魚和海豹等都靠進食這種細小的生物為生。

冰魚的血液裏有「防凍劑」，以保持牠們在寒冷的水中不會結冰。牠們的血液是白色的，而不像其他大部分動物一樣是紅色的。

有些海洋哺乳類動物擁有脂肪層，例如**間紋斑紋海豚**和**小露脊鯨**等，這層脂肪稱為「鯨脂」，有助牠們保持温暖。

威德爾海豹

威德爾海豹生活的地方較任何哺乳類動物更靠近南方。牠們能夠屏住呼吸，留在水面下大約70分鐘！

小露脊鯨

神秘的**南極中爪魷魚**在南冰洋的深海水域。只有少數南極中爪魷魚曾被人發現，可是牠們能成長至成年人類的五倍大！

南極中爪魷魚

海洋的區域

我們可以把深邃的海洋分為五層，從温暖及陽光可以照射到的海面至寒冷而黑暗的深層海洋。

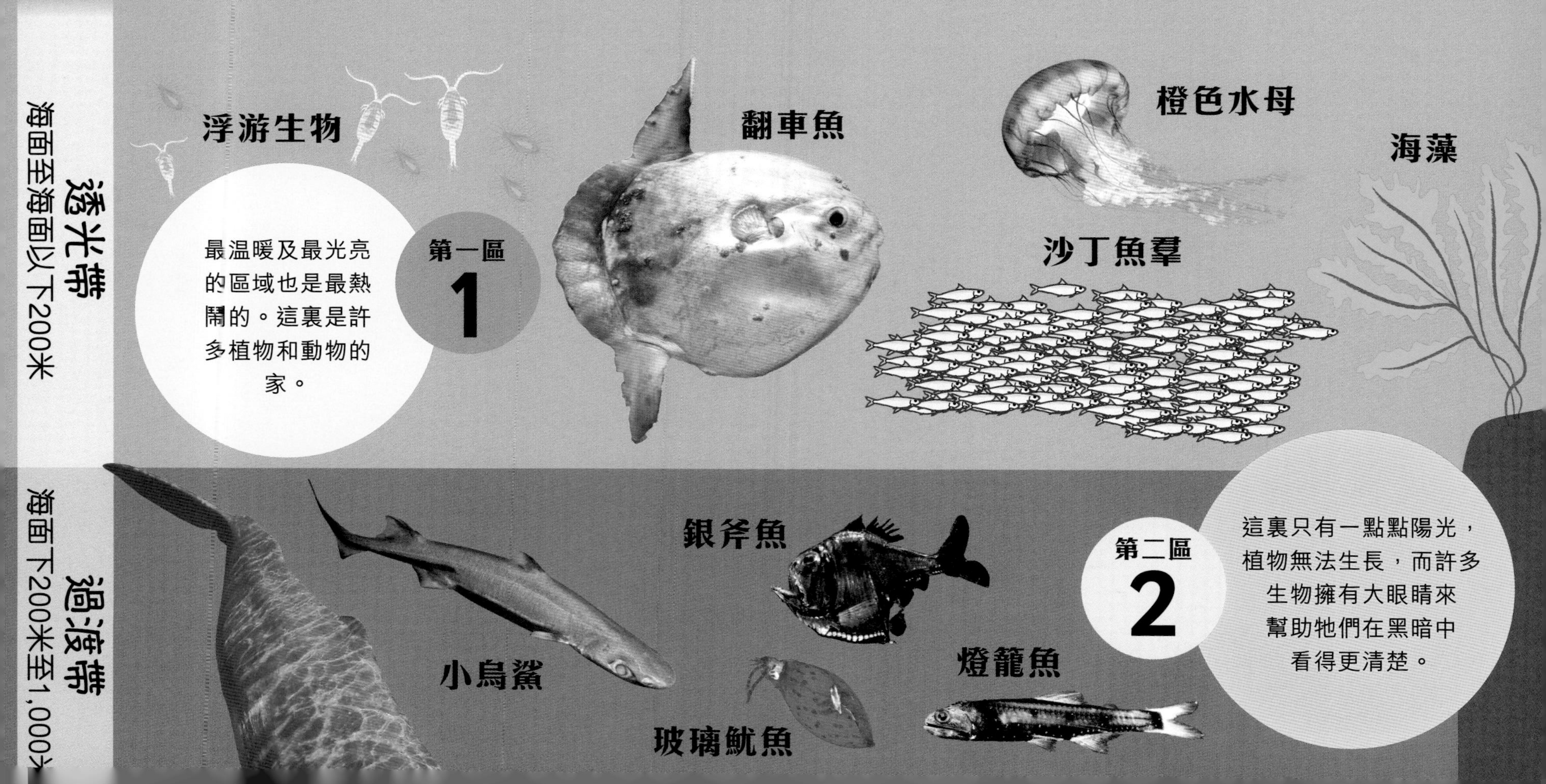

透光帶
海面至海面以下200米

過渡帶
海面下200米至1,000米

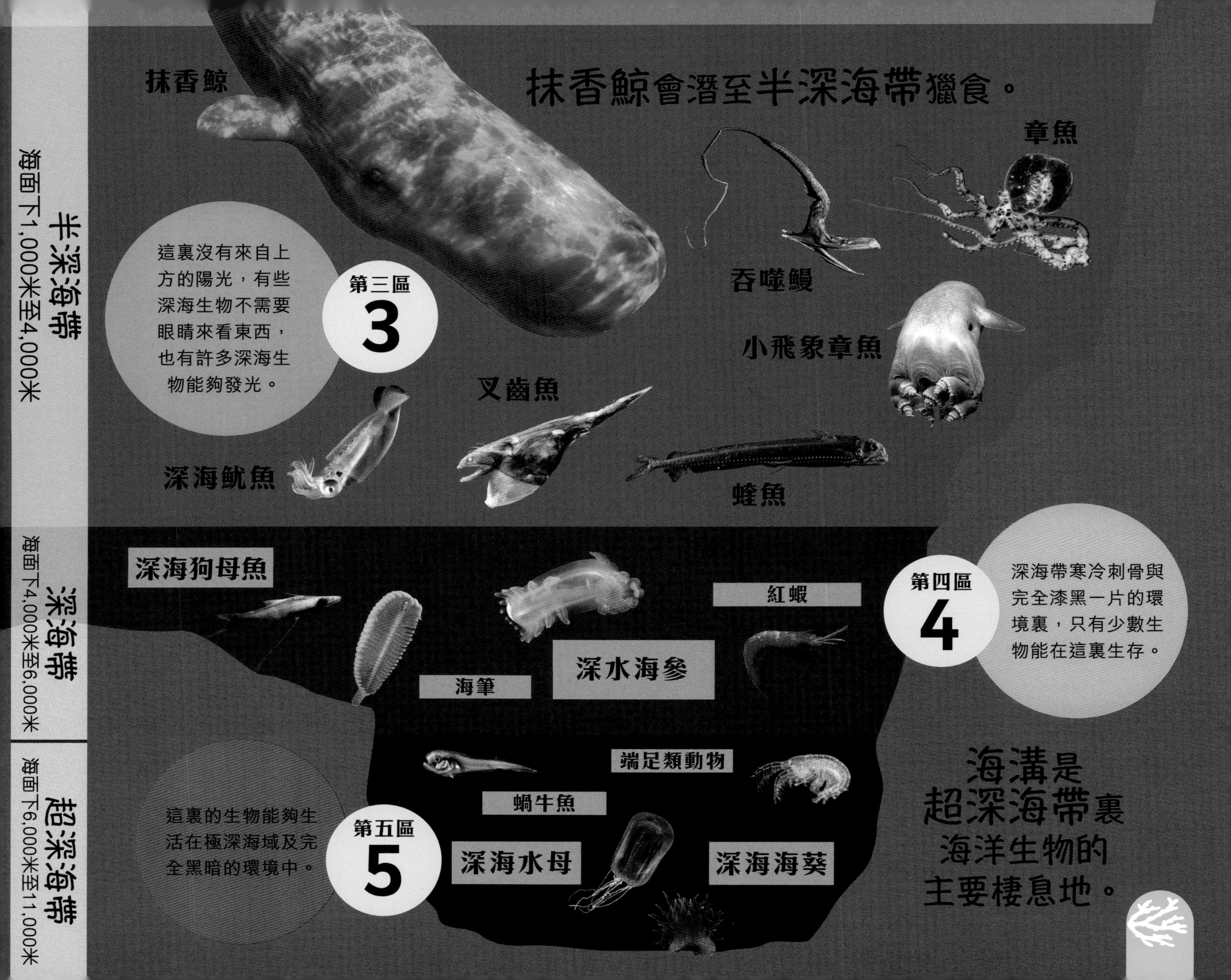
半深海帶
海面下1,000米至4,000米
抹香鯨
抹香鯨會潛至半深海帶獵食。
章魚
吞噬鰻
小飛象章魚
第三區
3
這裏沒有來自上方的陽光，有些深海生物不需要眼睛來看東西，也有許多深海生物能夠發光。
叉齒魚
深海魷魚
蝰魚
深海帶
海面下4,000米至6,000米
深海狗母魚
紅蝦
第四區
4
深海帶寒冷刺骨與完全漆黑一片的環境裏，只有少數生物能在這裏生存。
海筆
深水海參
超深海帶
海面下6,000米至11,000米
端足類動物
蝸牛魚
第五區
5
這裏的生物能夠生活在極深海域及完全黑暗的環境中。
深海水母
深海海葵
海溝是超深海帶裏海洋生物的主要棲息地。

透光帶

在開放水域裏的海面下是海洋的**最高層**。

歡迎來到海洋的透光帶！

陽光普照的海面

陽光令海洋的表面變得溫暖。植物、海藻與浮游生物會從太陽獲得能量—這就解釋了為什麼透光帶充滿了海洋生物！

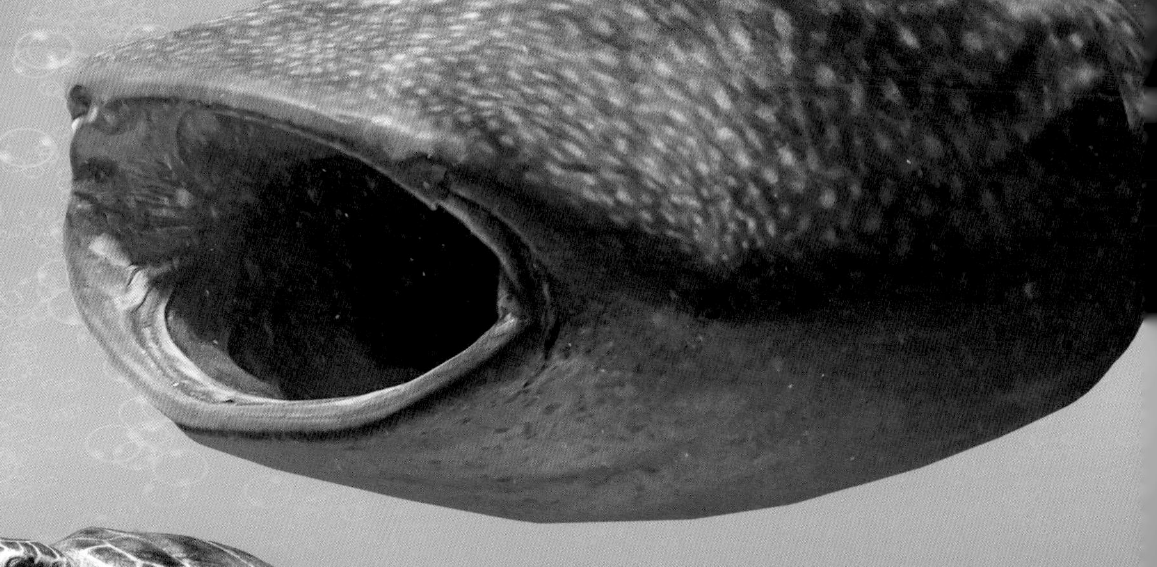

鯨鯊會張大嘴巴游泳來尋找食物。

海龜會到處游泳，獵食水母。

大部分海洋動物都在透光帶生活。

馬尾藻會一團團的在水面附近漂浮，它為魚和螃蟹提供食物和遮蔽處。

浮游生物

塘鵝會從空中潛入水裏，將魚撈進牠們的喙部。

翻車魚享受日光浴！牠們會側着身子在海面漂浮。太陽會令牠們變暖，然後牠們會潛回海裏尋找食物。

塘鵝是大型海鳥。

鯷魚會成羣地游泳與覓食，團隊合作有助牠們避開捕食者。

過渡帶

海雪

沒有太多陽光能照射到**昏暗**又**渾濁**的過渡帶，但是這裏仍然有海洋生物蓬勃生長。

下食物雨了！

海雪是死去的浮游生物及魚類糞便，從透光帶漂浮而下。海雪是過渡帶裏的動物非常重要的食物來源。

水滴魚不會獵食，相反牠們一動不動地等候，把游得太近的小螃蟹和海膽猛然一口吃掉。

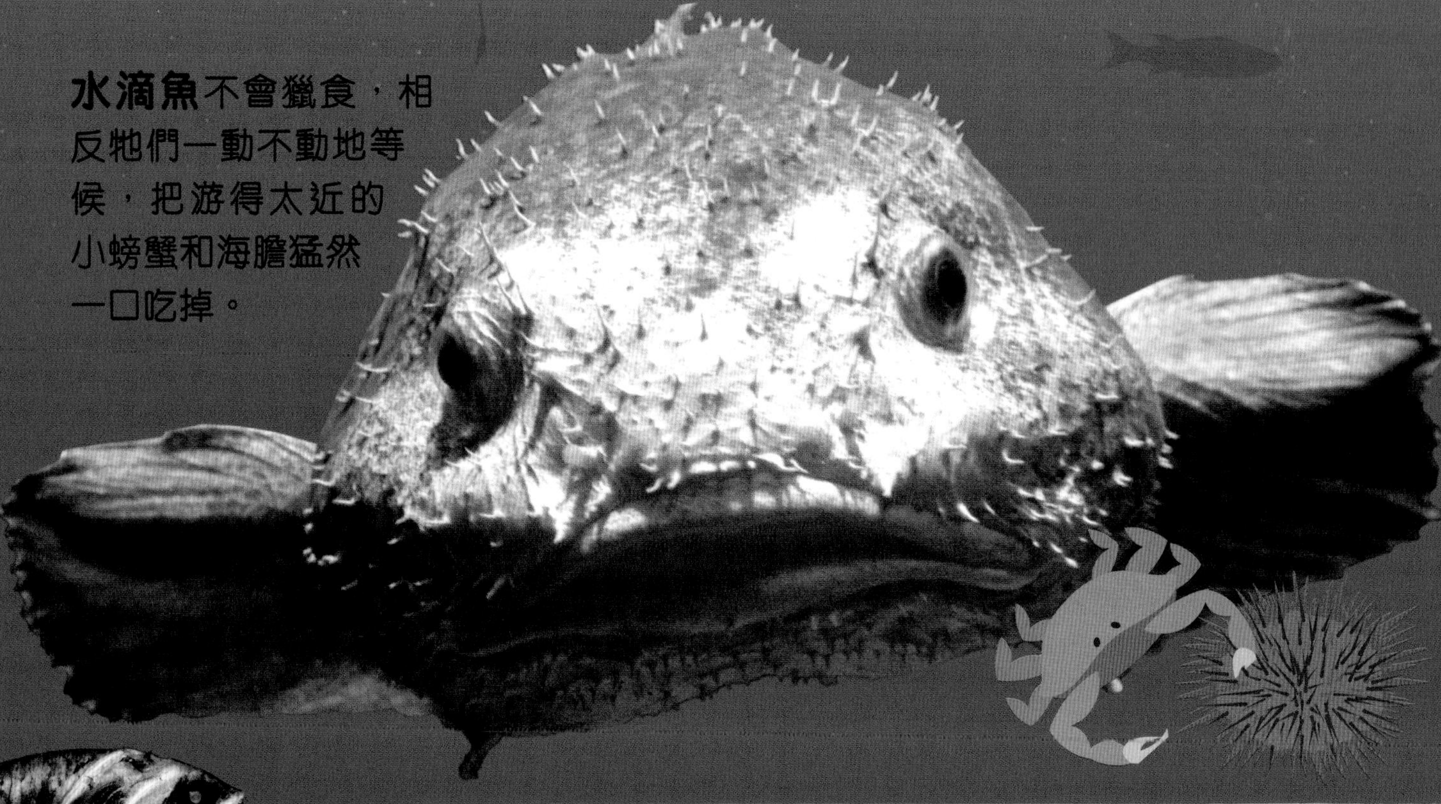

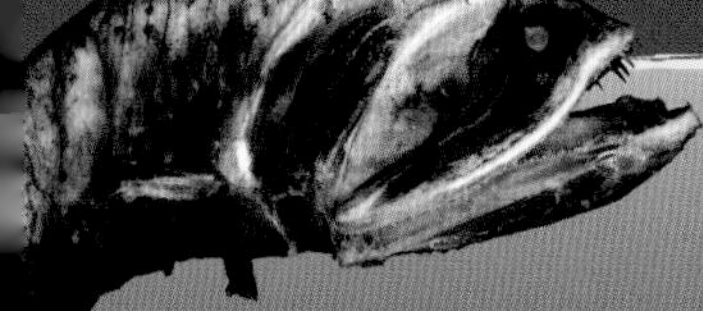

鑽光魚

數萬億條鑽光魚在過渡帶裏生活，牠們是世界上**最大**的脊椎動物**族羣**！

每天晚上，大約**50億公噸**的海洋生物，例如海樽和燈籠魚等會從海洋深處游到海面覓食。這是地球上最大規模的動物遷徙。

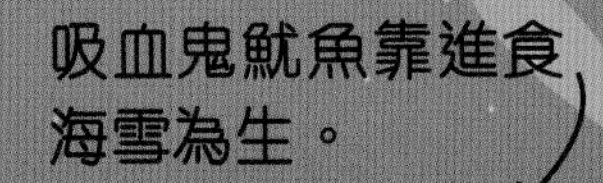
吸血鬼魷魚靠進食海雪為生。

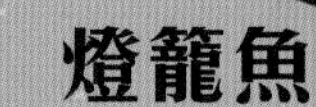
燈籠魚

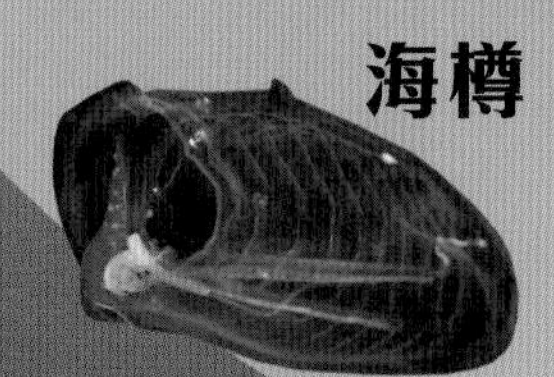
海樽

燈籠魚和海樽會在晚間游到透光帶，為了避開在白天裏獵食的捕食者。

玻璃魷魚能夠發光。牠們會與來自上方的陽光融為一體，因此捕食者從下方無法看見牠們。

冰島寬深海鮭擁有非常大的眼睛，有助牠們獵食磷蝦。

捕食者，例如**藍鰭吞拿魚**會從海面下潛數百米，以尋找獵物。

半深海帶

在渾濁的過渡帶下面就是半深海帶。沒有陽光能夠照射那裏，而那裏非常寒冷。

承受壓力

上方的海水會往**下壓**在位於海洋最下層的海洋生物上。在半深海帶裏許多生物都沒有骨骼，因為骨骼可能會因壓力而斷裂。

有些動物能夠適應水壓，並依靠水壓來保持身體的形狀。**小飛象章魚**如果被帶到海面，便可能崩塌成一團黏糊糊的東西。

半深海帶的動物擁有像果凍一樣質地的身體，有助節省能量，因此牠們不用游泳，直接隨水漂浮。

半深海帶的魚類身體裏擁有化學物質，幫助牠們在極端的水壓下生存。

由於半深海帶漆黑一片，**擬鯨口魚**會依靠身體上的敏感線來偵測水中的獵物。

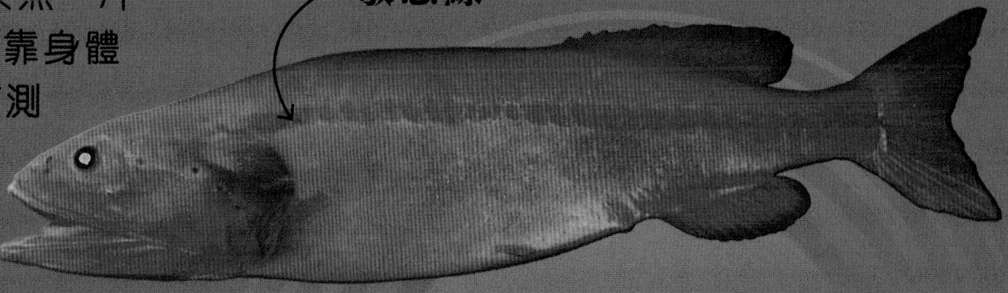

敏感線

轟炸機蠕蟲擁有發光囊，牠們會把囊掉下，以引開捕食者的注意力，好讓牠們能夠逃走。

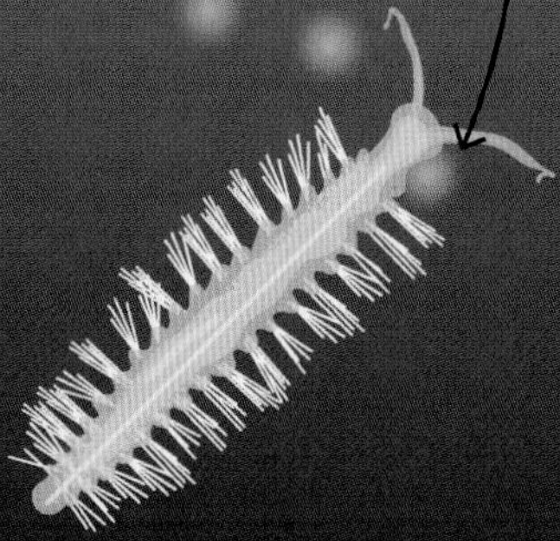

叉齒魚擁有非常有彈性的胃部，因此牠們能吃下體形是自己兩倍的動物。

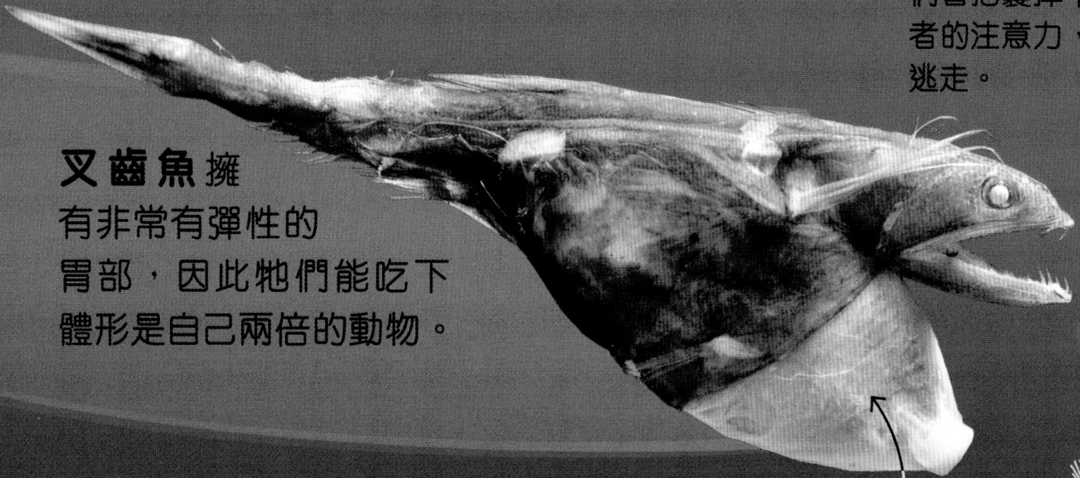

有彈性的胃部

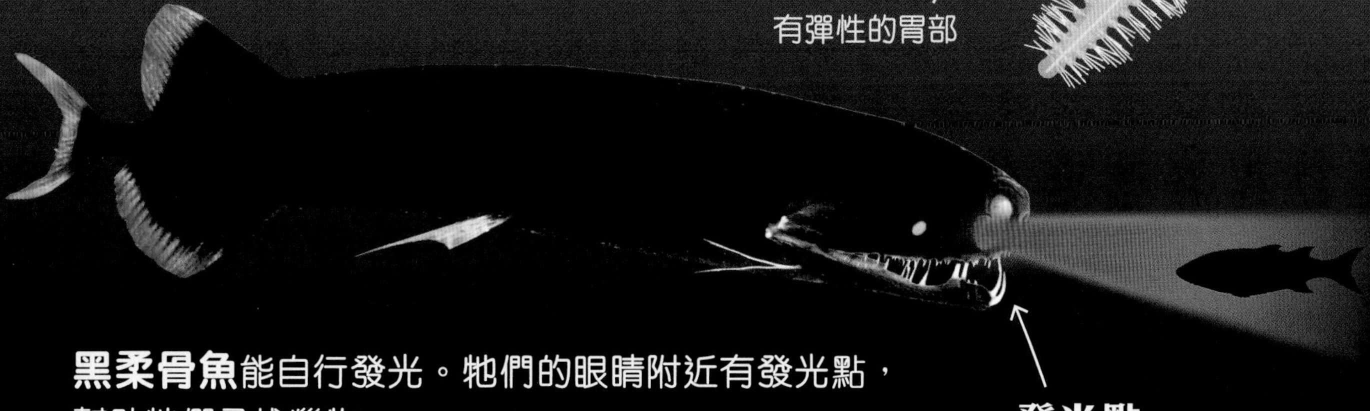

黑柔骨魚能自行發光。牠們的眼睛附近有發光點，幫助牠們尋找獵物。

發光點

深海帶

這是完全漆黑無光、寒冷徹骨的海域，而且食物非常稀缺，不過有些生物仍能在這個海洋最深處**存活**下來。

天降大餐

植物無法在黑暗的深海裏生長，因此深海帶是**捕食者**的家。但是食物難以獲得，因此許多生物會吃**細菌**，甚至是鯨魚及魚類的**殘骸**。

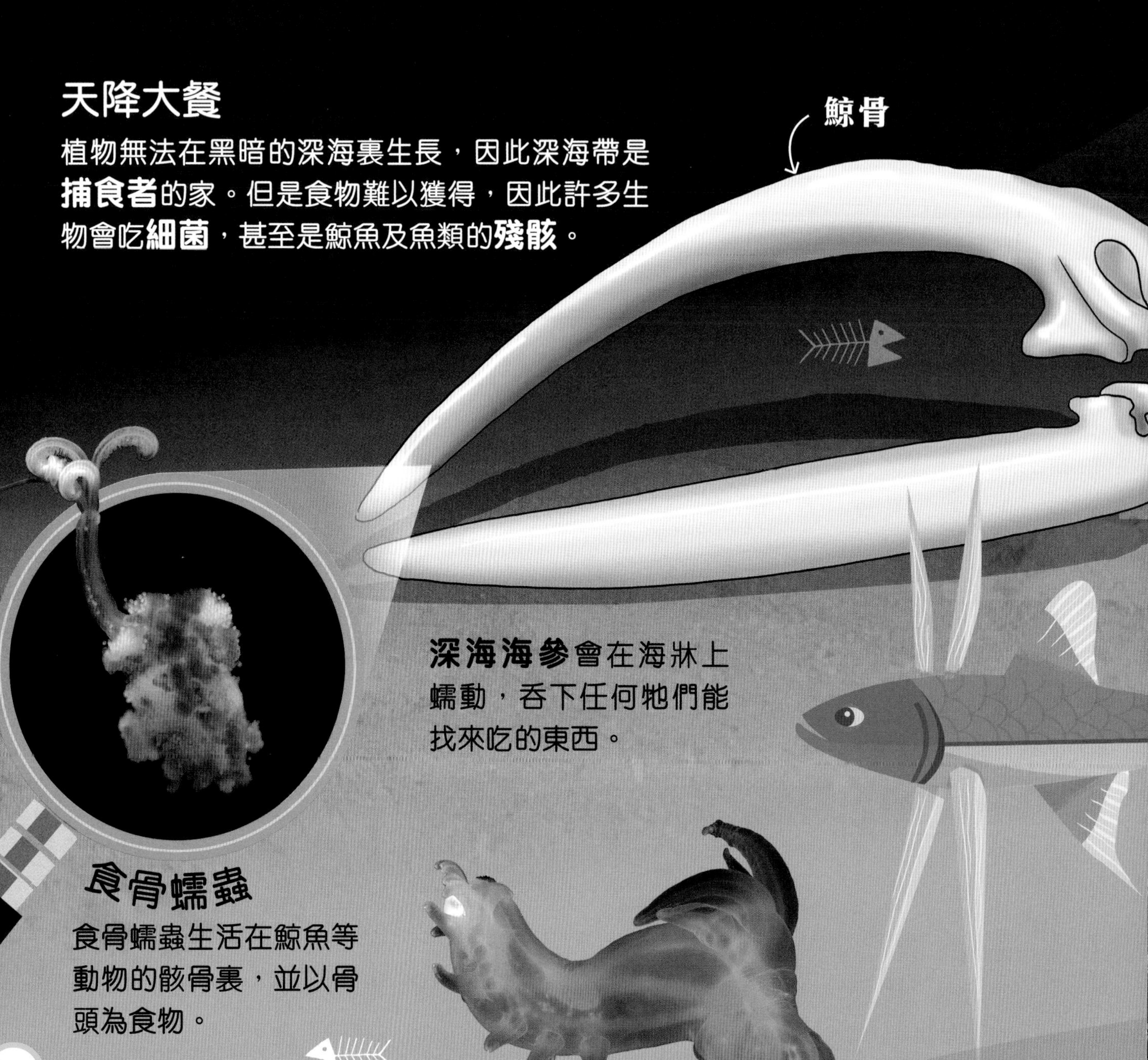

深海海參會在海牀上蠕動，吞下任何牠們能找來吃的東西。

食骨蠕蟲

食骨蠕蟲生活在鯨魚等動物的骸骨裏，並以骨頭為食物。

超深海帶

這是海洋裏**最深**的部分。它是非常黑暗且難以抵達，因此仍有很多東西待科學家們發掘。

大王具足蟲是深海裏的食腐動物，牠們吃掉已死生物的遺骸。

海羽星

獅子魚是深海裏的泳手。

羽枝

魚鰭

深海狗母魚會用牠們三片長長的魚鰭來「站」在海牀上，等候大餐向牠們漂浮過來。

海筆會等待食物來到牠們身邊。牠們擁有長長的體幹，還有能過濾海水及捕捉經過的食物的羽枝。

體幹

海羽星和海筆都是海洋動物，不是植物。

活在海洋中

海洋裏有許多**身懷絕技的生物**。從聰明的變裝大師到不擇手段以求保命的狡詐獵物，海洋裏不同的生物總會讓許多事情發生。來投入海洋中，認識一下在水中興風作浪的古怪生物吧。

家庭最重要

海洋家庭有不同的形態與規模。有些動物依賴牠們的家庭成員才能生存，但有些動物可能甚至從未見過自己的家庭成員。

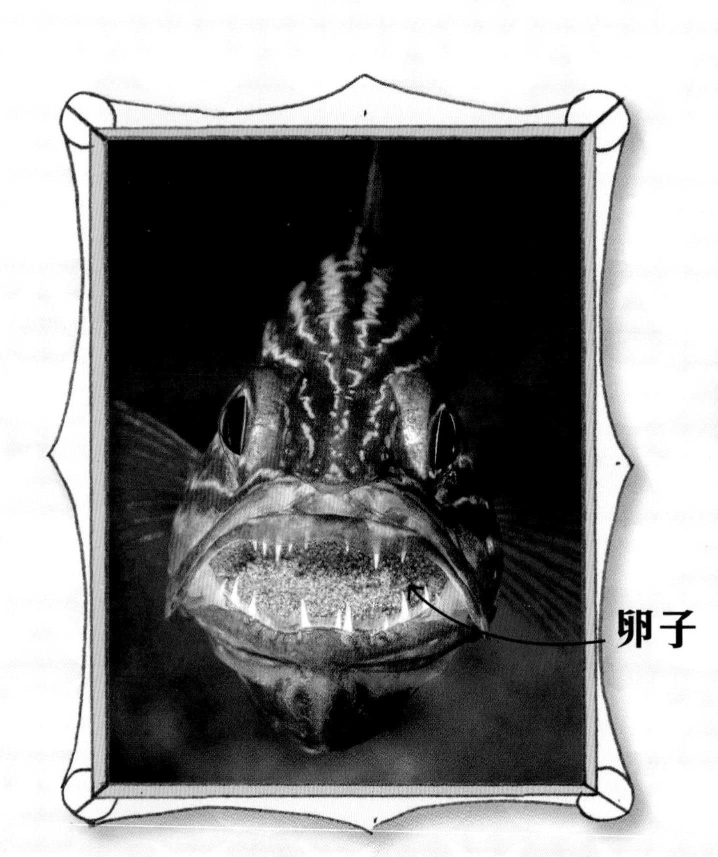

當雌性**天竺鯛**產卵後，雄性天竺鯛會將卵子收集起來放進嘴巴裏。此後，雄性天竺鯛便不會進食任何東西，直至卵子孵化，魚寶寶從嘴巴裏游出來。

在雌性**皇帝企鵝**尋找食物時，雄性皇帝企鵝會照顧牠們的蛋。雌性企鵝兩個月內都不會回來！雄性企鵝會保持企鵝蛋溫暖，直至蛋孵化。當雌性企鵝回來時，兩隻企鵝父母都會外出尋找食物，而企鵝寶寶們會互相擠在一起。

鯨魚寶寶會由牠們的母親照顧。鯨魚祖母會和牠們女兒的寶寶分享食物。牠們一輩子全都會和相同的家人待在一起，稱為「鯨羣」。

紅蟹可能永遠不會和自己的父母見面。母蟹會在海灘上產卵，然後卵子在孵化前會被沖進大海裏。

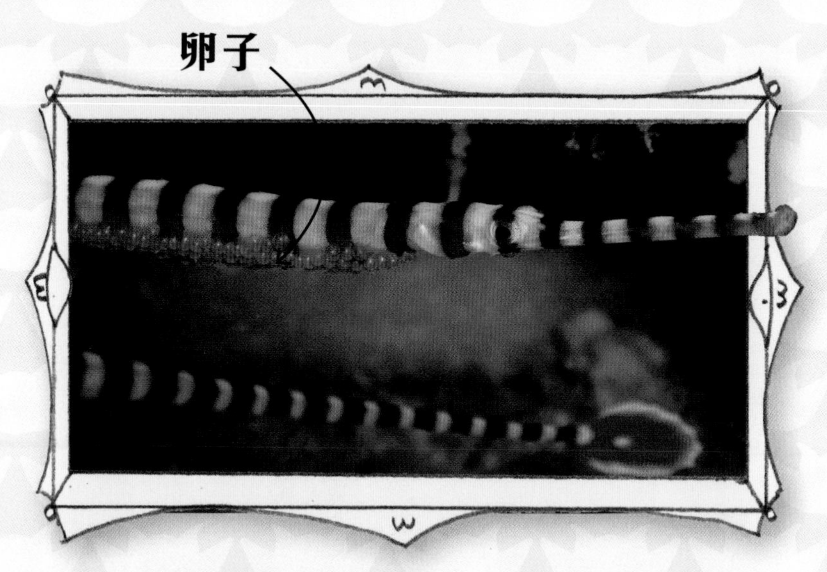

雄性**剃刀魚**會將卵子一列列的黏在身體上，直至卵子孵化。孵化後，剃刀魚寶寶會漂走，並開始自行生活。

海獅會成羣地生活。當海獅媽媽餵飼牠們的寶寶時，一定會有一頭雄性海獅在附近守衛。

1

咔啦啦啦啦！海龜寶寶會啄開牠的殼爬出來。

海龜的力量

海龜寶寶的生命開端並不輕鬆。牠們的媽媽在海灘上生蛋，當海龜寶寶孵化後，牠們必須**趕快爬進大海裏**。各就各位，出發！

2

細小的海龜寶寶身長大約與你的拇指長度相同。孵化後，海龜寶寶必須前往牠的新家—大海。

3

海龜寶寶會在沙地上爬行走向大海。這段路程並不遙遠，但是每秒鐘都充滿風險，因為海龜寶寶爬行的速度很慢，而捕食者正在海灘上等待獵物出現。

4
嘎嘎！
影子是危險出現的徵兆，因此我會避開影子！
飢餓的海鳥在海灘上空盤旋，準備好從半空中俯衝而下。

5
咿咿！
海龜寶寶要避開螃蟹和其他捕食者，直至牠抵達大海。

6
在大海裏，海龜必須不停游泳，以逃離陽光普照的淺水區域，在那裏牠仍會受到捕食者的威脅，包括海豚。經過一段時間，海龜會生長得更大更強壯。

7
我希望我的寶寶能夠成功抵達大海！
成年後，海龜會回到同一個海灘生蛋。牠的寶寶會經歷相同的旅程返回大海。

乘風破浪

許多生物會在大海裏游泳，但是游泳並不是大海裏唯一的**動作**！生物有各種各樣的方式在海洋裏到處去。

僧帽水母

致命的漂浮者

要小心**僧帽水母**搖曳着的有毒觸手。牠依靠洋流在水中漂浮。

旗魚

快速的泳手

旗魚的身體光滑、修長及呈流線形，這樣有助牠在海洋裏以高速穿梭。牠又長又尖的喙部能讓牠穿過海水，而牠的鰭有助牠轉彎。

旗魚是水中移動速度最快的生物，牠的速度可達每小時112公里—與在公路上的汽車速度差不多！

肚子漫遊

海獺在水中漂浮時，會將牠的寶寶放在自己的肚子上帶着到處去。海獺寶寶能夠在漂浮時依靠媽媽的乳汁為生。

海獺

珍寶噴射機

章魚會緊緊擠壓自己的身體，令水柱噴出來推動牠們隨水移動。這個移動方法稱為**噴射推進**。

章魚

乘搭「順風船」

藤壺不會用功！牠們將自己黏在船隻或海龜身上，並跟隨着到處移動。

藤壺

飛行機器

海龜會用鰭肢在海中「飛行」—就像鳥兒用翅膀飛越天際一樣。

海龜

一起游泳

在浩瀚的海洋裏，小生物要生存非常艱難。因此，有些動物會組成特別的**羣體**。羣體合作能夠讓牠們避免落入捕食者手上，而且這也是很有效的獵食方式。

魚羣之中有數以千計尾魚！

狂亂的魚羣

雜魚羣結構較相同魚類組成的魚羣鬆散。它是一羣鬆散地聚集的魚類，當中可能有一種或許多不同種類的魚，甚至有其他生物！

我覺得當小魚一起合作時，會較難捕捉牠們。

雜魚羣

我們令這些餓着肚子的海豚頭昏眼花吧！

海豚羣

同步的泳手

魚羣非常秩序井然。所有魚都會一同扭動、轉向、移動，尤如一體。魚羣裏的魚全都是相同的品種。

這羣魚井然有序。

牠們真美麗！

羣策羣力

有些海洋哺乳類動物，例如海豚、鯨魚和海豹會組成**羣體**一起生活。牠們會一起捕捉獵物，互相保護。

完美拍檔

海洋裏滿是好拍檔。海洋生物會以許多方式互相**幫助**，有些生物甚至要互相依賴才能生存。

海葵與小丑魚

海葵會讓小丑魚**躲**在帶刺的觸手之間，以避開捕食者。作為回報，小丑魚會帶來氧氣豐富的海水，還會為海葵**清潔**觸手。

小丑魚

呼嚕嚕！

舔舔

海葵

鼓蝦與鰕虎魚

這對拍檔會一起生活。鼓蝦在挖掘洞穴之際，鰕虎魚會**留意**捕食者。

謝謝你和我們分享你的家。

鰕虎魚

鼓蝦

珊瑚與海藻

微小的海藻會在珊瑚**內裏生活**，以避離可能把海藻吃掉的魚類。海藻讓珊瑚披上惹人注目的色彩，並為珊瑚**提供食物**。

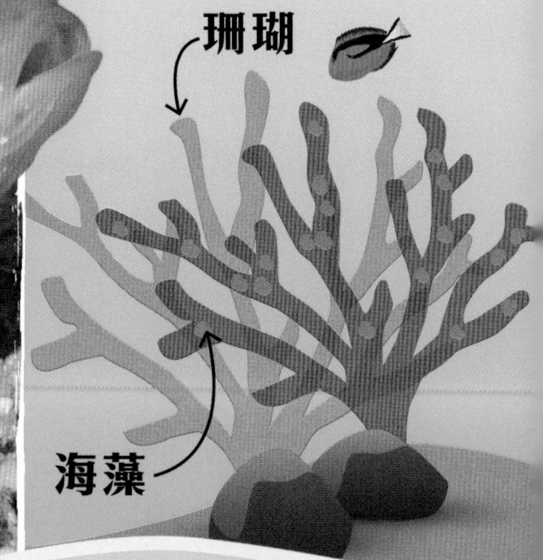

小丑魚也會為海葵吸引獵物。

協助打掃的生物

清潔魚及清潔蝦會吃掉大魚身上的**死皮**。大魚會變得乾乾淨淨，而小小的清潔魚獲得一頓大餐！

我會為擬刺尾鯛、鸚哥魚和鯛魚清潔身體。

好吃！

好吃！

藤壺與鯨魚

藤壺與鯨魚都食**浮游生物**。藤壺會攀附在鯨魚的背部和肚子上，然後鯨魚會帶着藤壺前往能夠找到浮游生物的地方。

花紋細螯蟹與海葵

花紋細螯蟹會用鉗子帶着海葵。牠們將海葵當作**拳擊手套**一樣，用來螫刺捕食者。花紋細螯蟹會餵飼海葵作為回饋。

海藻與蜘蛛蟹

海藻會依附在蜘蛛蟹的外殼上。海藻因而獲得一個家，而海藻棕綠的顏色能成為蜘蛛蟹融入環境的**偽裝**。

海洋漫遊者

對部分海洋生物來說，稱為**遷徙**的漫長旅程是生命的一部分。牠們會在茫茫大海中游動一段長距離，以尋找食物或繁殖。

鰻魚

鰻魚寶寶會從大西洋的馬尾藻海出發，游到歐洲，過程需時大約300天。在牠們成年後，便會遷徙回馬尾藻海。

正在遷徙的**錦繡龍蝦**會排成一列在海牀上行走，直至牠們抵達溫暖的海域。

北象鼻海豹

錦繡龍蝦

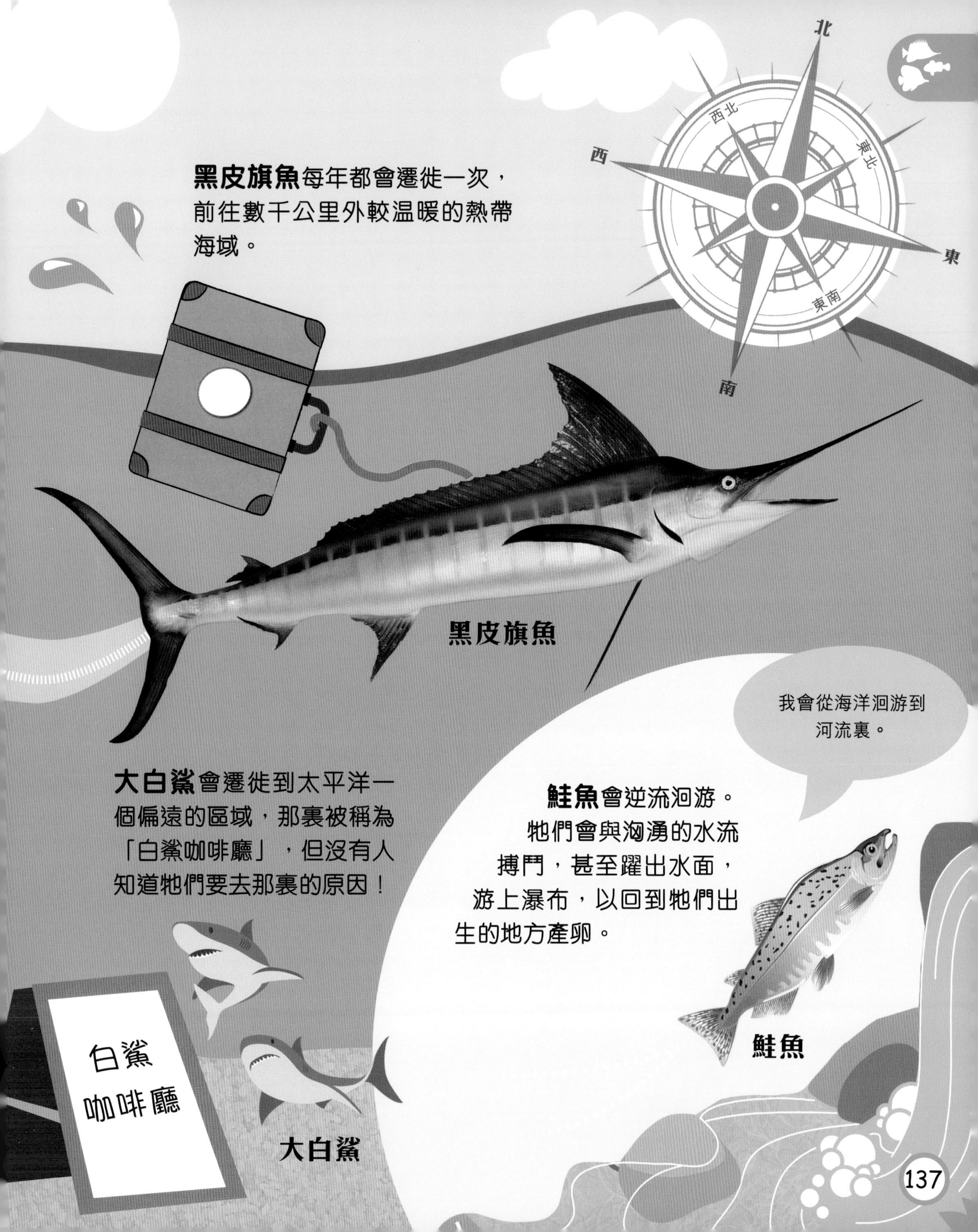

黑皮旗魚每年都會遷徙一次，前往數千公里外較溫暖的熱帶海域。

大白鯊會遷徙到太平洋一個偏遠的區域，那裏被稱為「白鯊咖啡廳」，但沒有人知道牠們要去那裏的原因！

鮭魚會逆流洄游。牠們會與洶湧的水流搏鬥，甚至躍出水面，游上瀑布，以回到牠們出生的地方產卵。

鯨魚大冒險

每年，**座頭鯨**都會游泳數千英里，由南冰洋的寒冷水域來到較溫暖的太平洋、印度洋和大西洋。

座頭鯨會圍成一圈，製造出一個「網狀氣泡」，以困住獵物。

座頭鯨會展開地球上其中

1 座頭鯨會從牠們的**覓食**地點遷徙至**繁殖**地點。牠們會進食大量微小的浮游生物和磷蝦，以在展開長途旅程前增加身體內的脂肪。

浮游生物

座頭鯨在遷徙時不會進食。牠們會依靠儲存在身體內的脂肪維生。
2
當座頭鯨吃得飽飽的，預備好出發後，牠們會向南前往溫暖的**熱帶海域**。這段旅程需時超過一個月，途中只會短暫停靠，稍作休息。
一段最漫長的遷徙旅程！
3
雌性座頭鯨會在熱帶海域**生產**。牠們會讓寶寶留在身邊，幫助寶寶進食和成長，之後再次展開漫長的旅程回到南極水域。
鯨魚寶寶被稱為幼鯨。
成年座頭鯨的體重大約與八隻大象相等！
牠比我重得多！

北極的食物網

所有動物都需要食物來提供**能量**，而那些生活在同一棲息地的動物會透過食物網連繫起來。

北極紅點鮭

能量傳遞

從太陽開始，能量會由藻類傳遞給細小的動物，然後再傳遞給捕食者，捕食者位於**食物網**的頂端。

北極鱈

細小的魚類，例如北極鱈等，會進食浮游動物。魚類是較大動物的重要食物來源。

浮游植物

食物網的底層是微小的浮游植物。它們是細小的浮游動物不可或缺的食物。

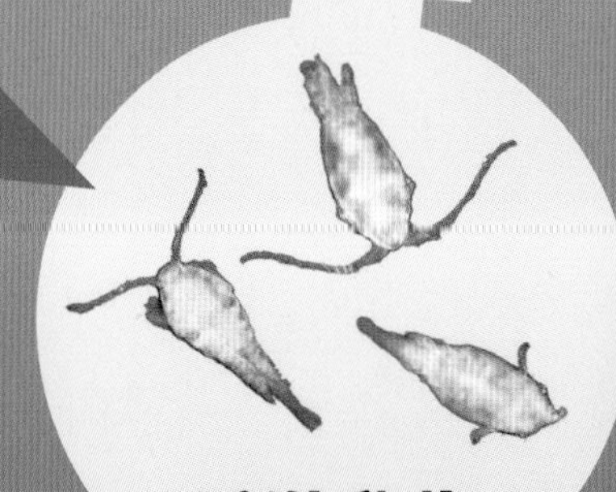

浮游動物

較大的動物，例如海豹和鳥類等，會進食大量的魚，但是牠們同樣面臨捕食者的威脅。

在食物網頂層的都是厲害的獵人，例如北極熊及殺人鯨等。這些頂端的捕食者不僅會以魚類為食，也會吃較大的生物，例如海豹。

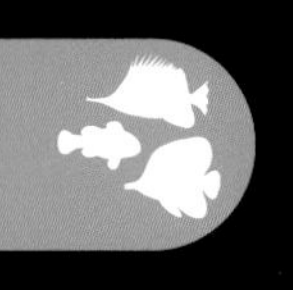

奇妙的**海藻**

在海洋食物鏈底層的是微小的海藻，稱為**浮游植物**。浮游植物很微小，卻有數以十億計的浮游植物正在海洋裏漂浮。

浮游植物被稱為「海洋裏的青草」，因為有許多生物依靠它們為生。

浮游植物會在海洋的表面漂浮，這有助陽光照射到它們。

浮游植物

浮游植物產生了我們呼吸

魚類的食物

浮游植物非常重要。它們為所有種類的海洋生物提供食物，包括浮游動物和部分甲殼類動物。浮游植物是海洋中**最大的食物生產者**，若沒有了它們，海洋的食物鏈便會崩潰。

浮游植物非常微小，不過如果你仔細觀察，你也許會看見它們在海灘裏的潮池中漂浮着。

二氧化碳

氧氣供應

浮游植物利用陽光、水和二氧化碳來產生能量。這個過程稱為**光合作用**。當它們吸入二氧化碳時，它們也會將氧氣釋放到空氣中，有助我們呼吸。

放大後的浮游植物

能量會由浮游植物傳遞到進食浮游植物的動物。

氧氣

的一半氧氣！

欣欣向榮

浮游植物迅速生長，形成**藻華**。藻華會覆蓋廣大的範圍，並吸引大量飢餓的海洋生物。但是，有些藻華是有毒的，會損害海洋生物。

海洋獵人

所有海洋生物都必須**尋找食物**來生存。有些海洋生物會利用牠們的超強感官、鋒利牙齒和驚人速度來獵食！

尖吻鯖鯊被稱為「海洋中的獵豹」。牠移動速度非常快，在追捕獵物時會躍出水面。

尖吻鯖鯊

我們能感知小魚產生的振動，並用鋒利的牙齒將獵物困住。

管鼻

我們慢吞吞的，但足以令你致命。

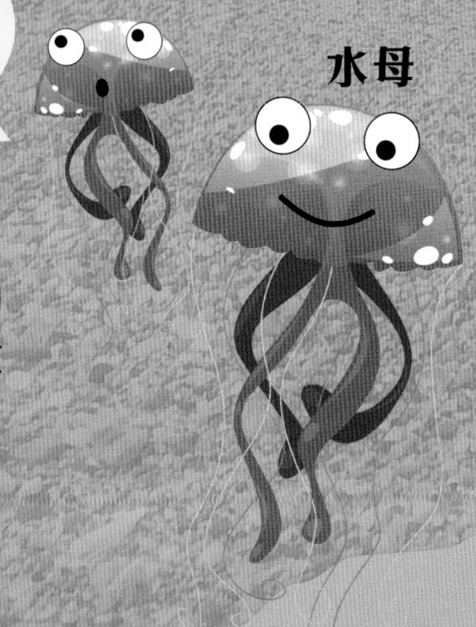

水母

水母會在水中漂浮。牠們能夠令路過的獵物癱瘓，並開懷大吃而毋需移動。

雀尾螳螂蝦強壯得足以

座頭鯨會成羣地獵食。牠們會從噴氣孔吹出泡泡。上升的泡泡會形成網狀，困住當中的魚類或磷蝦，準備好讓座頭鯨羣飽餐一頓。

能夠噴出墨汁的**澳洲巨型烏賊**會捕捉動作敏捷的獵物，例如魚類。牠們會靜靜等候，然後射出觸手，迅速出擊。

黑色的墨汁亦會令捕食者迷惑。

雀尾螳螂蝦會爬到螃蟹身上，用鉗子擊打對方。牠的拳擊擁有等同子彈的力量！

打破厚厚的玻璃！

自我防衛

許多海洋生物會融入身處的環境中，以免受攻擊，不過其他海洋生物也有聰明的方法去**攻擊**、**欺騙**或**混淆**敵人。

尾巴上的尖刺

魟魚的尾巴上有兩根尖刺，裏面充滿毒液。身陷險境時，魟魚會揮動尾巴來襲擊敵人。

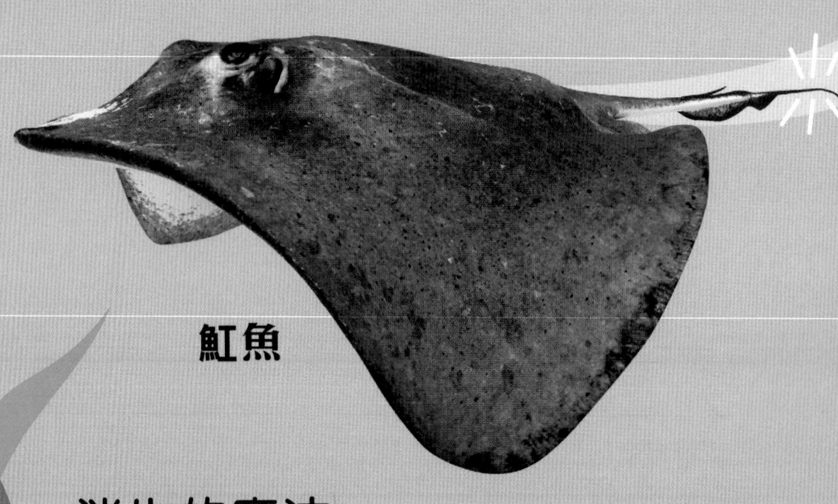
魟魚

粒突箱魨受威脅時會產生有毒的黏液。

消失的魔法

章魚會釋放出一團黑色的墨汁，讓牠們躲避路過的捕食者，並可以不被察覺地游開。

章魚

我面對生命威脅時能產生黏液！

石頭魚能夠在

膨脹的能力

六斑刺魨會吸入海水並令自己膨脹。這會令牠看起來體形更大，因此對較大的捕食者來說更可怕。牠鋒利的尖刺在膨脹時也會突出來，令牠變得更難以進食！

完全脹大的
六斑刺魨

有毒的尖刺

獅子魚的尖刺能警告捕食者遠離。但是，如果這些尖刺無法令捕食者嚇怕，尖刺本身也帶有很強的毒性。

獅子魚

石頭魚

充滿毒性

石頭魚看起來好像無毒的珊瑚，但是石頭魚的魚鰭上有細小的尖刺，尖刺含有致命的毒液。

一小時內殺死一個人類。

變裝大師

許多生物在海洋生存非常艱難，因此牠們都是躲藏的專家。牠們能夠融合自己的家園，模仿其他動物或改變形態以**融入**牠們的周邊環境。

偽裝之王

烏賊能夠改變顏色、形狀或質感，令自己的外觀貌似不同的棲息地，例如海牀或珊瑚，這稱為**保護色**。

海膽透過從海牀上撿起貝殼及石塊來創造出新的形象。

擬態章魚會坐在海牀上，扮成有毒的動物，例如海星和海蛇。

葉形海龍擁有綠色的、漂浮着的皮膚薄片，讓牠們能躲在海草和海藻裏。

獅子魚的條紋能夠隱藏身體的輪廓，令牠從遠處較難被看見。

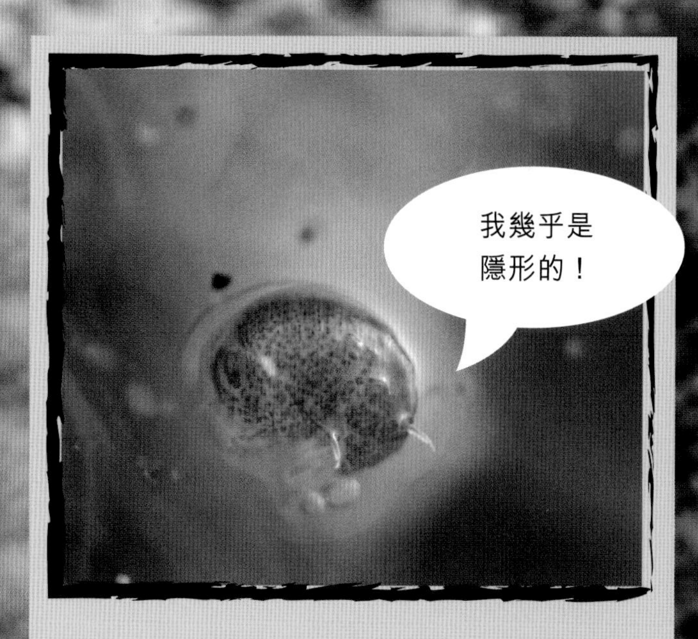

一些細小的甲殼類動物稱為**蛾亞目**動物，牠們擁有透明的身體，因此在捕食者眼中看起來幾乎隱形。

天然的**亮光**

有些生物會發光，稱為**生物發光**。這些海洋生物令海洋看似充滿了明亮及耀眼的星星。

為什麼生物會發光？

生物會用牠們身體發出的亮光來驚嚇及混淆捕食者，欺騙獵物，吸引伴侶及融入陽光充沛的海洋。

閃亮的光

我們來認識一下**數以千計**在海洋裏發出亮光的生物吧。

鮟鱇魚

在深沉黑暗的大海裏，鮟鱇魚會自行發光來吸引獵物。這點光會在牠的頭部**搖晃擺動**。

夜光游水母

夜光游水母隨海浪移動時，牠便會發光。如果被其他生物碰觸，夜光游水母便會放出一種閃亮的、**黏乎乎的液體**！

電光藍

位於馬爾代夫的瓦度島是一個仿如天堂的島嶼，它在晚上甚至會變得更美麗。拍岸的浪濤會令稱為**浮游植物**的海藻亮起電光藍色的光。

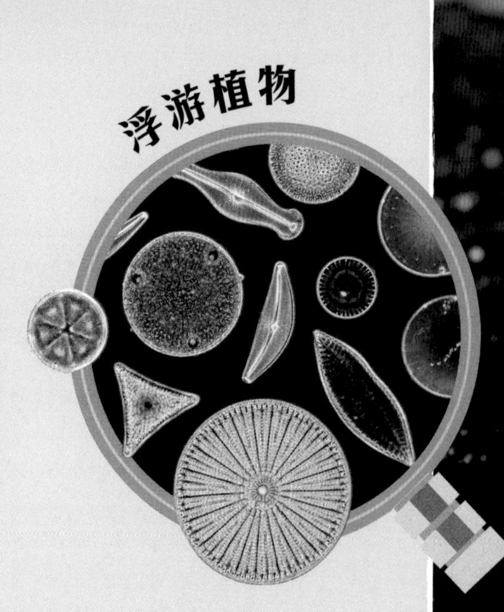

棘銀斧魚

棘銀斧魚的肚子會發出**亮光**，用來隱藏牠黑暗的影子。牠的敵人會將這些亮光當作是來自海洋表面的陽光。

櫛水母

櫛水母的身體幾乎完全能被**看透**，而牠的生物發光能力會使漆黑的海域變得明亮。

燈眼魚

燈眼魚因牠眼睛下方的**發光器官**而得名。牠生活在珊瑚礁裏，是少數能發光的淺海魚類之一。

海洋中的聲音

大海可以是非常喧鬧的地方。發出及聆聽聲音有助動物**溝通**、**尋找食物**及**探索方向**。

雄性加州海獅會大聲吼叫，以嚇走其他雄性海獅，保衞家園。

啪！

小丑魚會發出啪的一聲和唧唧啾啾的聲音來向其他小丑魚炫耀，並使自己顯得較牠們原來的樣子更嚇人。

砰！

鼓蝦會迅速閉上其中一隻較大的鉗子，以製造出一連串爆開的泡泡，令牠們的獵物驚嚇。這種聲音可以比煙花還要響亮！

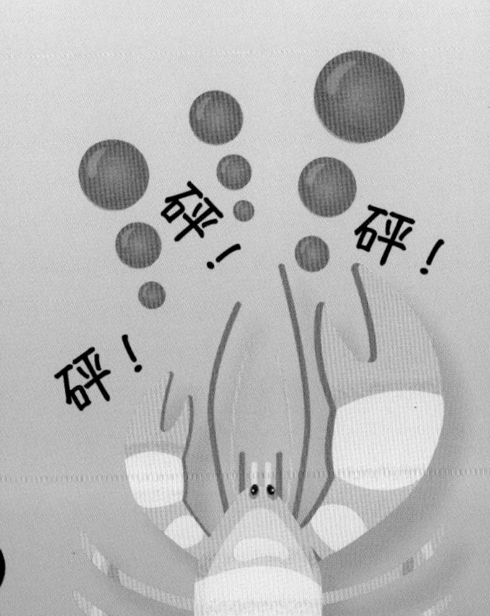

小丑魚會用牠們的牙齒發出一些聲音！

海豚會用尾巴拍打海洋表面，發出巨響來嚇怕魚兒，使牠們匆匆游出自己的藏身地點。

嗚！ 汪汪！ 嘎嘎！

雄性**毒棘豹蟾魚**會用貝殼和岩石建造自己的巢穴。然後，牠們會發出低沉的嗚嗚聲來吸引伴侶。

嗚嗚！
嗚嗚！

陰影絨毛鯊受威脅時，牠們會吸入海水，並膨脹至原本體形的兩倍大。當危機過去，牠們會釋出海水，並發出汪汪的吠叫聲—就像小狗一樣！

汪汪！

蝙蝠魚會在日出與黃昏時唱歌。牠們發出的嘎嘎聲、噗嚕聲和卜卜聲，再加上其他魚兒的聲音，形成了一個水底合唱團！

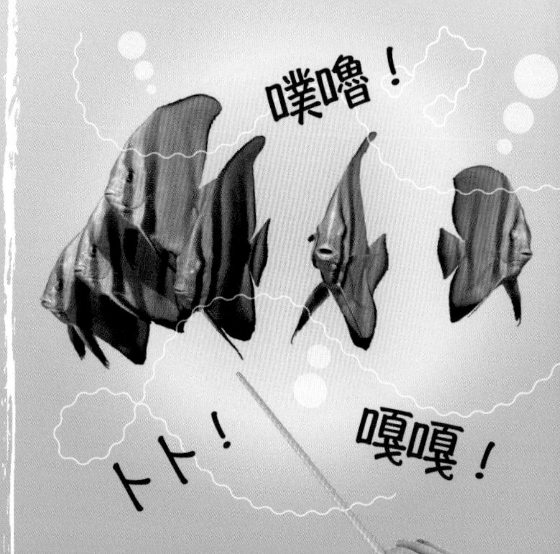

超級**聲納**

想像一下在黑暗中游泳有多困難！海豚會利用一套特別的**聲納系統**，以聲音協助牠們「看見」水中的環境。

的答的答的答

1 當太陽或月亮隱藏起來時，海洋變得昏暗。這會令海豚難以到處去或尋找**食物**。

2 海豚不會用牠的視力來在水中辨別方向，而是運用牠的**聲納系統**。牠會發出清晰的的答聲。

我的額頭有一片厚厚的肉墊，或者稱為「**額隆**」，讓我發出的答的聲音。我能在每秒發出多達1,000次的答聲！

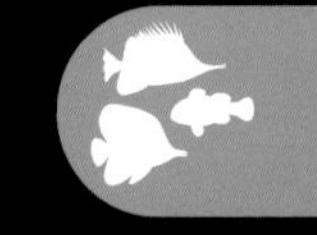

3 這些的答聲會以聲波的形式在海豚附近的水中傳遞開去。聲波在水中的傳遞速度較在空氣中快近五倍！

的答的答的答的答

大部分海豚的的答聲太高音，人類無法聽見。

聆聽回音有助我推算出獵物的大小、形狀及位置。我想我找到了一隻章魚！

4 聲波一直傳遞，直至撞上某些東西，例如獵物。聲波之後就會從獵物身上**反彈**，並成為回音，直接傳回海豚那裏。

的答的答

5 回音返回海豚那裏的時間越長，海豚與獵物之間的距離越長。這套聲納系統稱為**回音定位**。

海豚的聽力較貓好兩倍！

聰明的海洋生物

從超級聰敏的鯨魚到懂得解決困難的章魚，大海裏面有不少**頭腦精明**的動物。

頭腦發達的巨獸

鯨魚的腦部**非常發達**，讓牠能夠溝通，破解謎題，甚至能辨認出自己。抹魚鯨的腦部是地球上所有哺乳類動物之中最大的。

聰明的溝通者

成年的虎鯨和其他海豚會以的答聲和口哨聲互相「交談」。牠們會傳遞**資訊**，例如可以去哪兒尋找獵物，包括海豹。

問題解決者

章魚擁有一個大大的腦部，觸手上也有**神經細胞**，負責控制活動。章魚很擅長解決問題—就像我們一樣！

章魚

小墨的大逃亡

2016年，一隻名叫小墨的章魚利用牠精明的頭腦逃出了新西蘭國家水族館。

一天晚上，小墨發現自己的水族箱蓋子稍微打開了。

牠將自己柔軟的身體擠過那條小縫，並沿着地板爬行。

牠滑下了一根通往大海的去水管。沒有人發覺小墨逃走了，直至他們看見水族館的地板上留下了一道濕漉漉的痕跡！

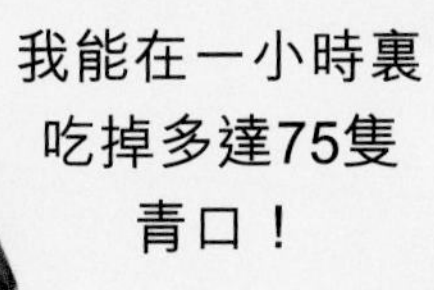

我能在一小時裏吃掉多達75隻青口！

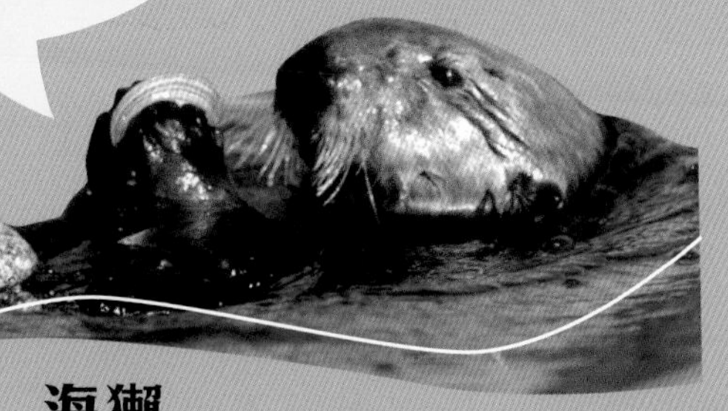

海獺

頂尖的工具運用專家

海獺會進食被硬殼保護着的生物，因此牠必須利用**工具**來打開這些硬殼。牠會將貝殼用力在石塊上敲打來取得裏面的食物！

海洋大冒險

在許多個世紀裏，人們一直**探索海洋的奧秘**，如今是時候由你迎向波濤洶湧的大海了！來，預備好認識一些厲害的海洋英雄、傳說中的海怪、引人注目的沉船遺骸及兇悍的海盜。你來猜猜自己會發現哪些寶藏？

早期探索

從**遠古時代**，海洋已令人着迷。當人們開始在大海航行時，這些冒險之旅展示出前所未見的世界。

埃及人

從公元前15世紀開始，古埃及人從紅海向南面航行，他們**探索**非洲東部，與當地人**貿易**。

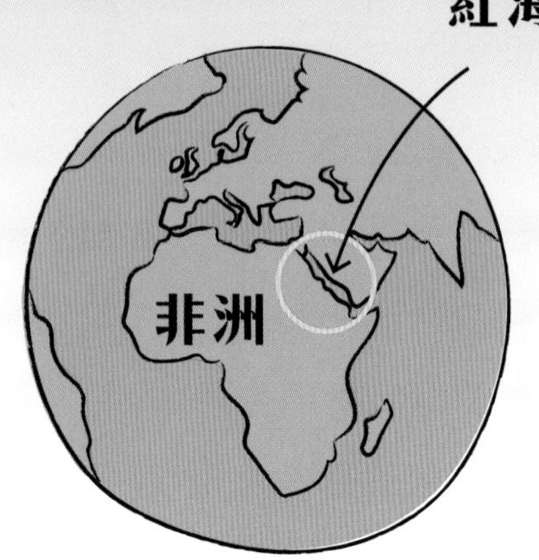

腓尼基人

這些超級航海家會利用**雪松樹**來製造木船。約公元前600年，腓尼基人已在非洲沿岸航行。

雪松樹

希臘人

約公元前300年，古希臘人在地中海和黑海航行，他們沿途銷售貨物和**建設城市**。

我們下一站要到哪裏呢？

維京人從斯堪地那納維亞半島前往冰島需要花上7天。

船槳

揚帆出海

最初的帆船都是**木製**的，而且只有**一面帆**。船上裝有船槳，好讓船員在沒有足夠的風力時能夠划槳前進。

一起在大海航行吧！

維京人

公元8世紀，來自斯堪地那納維亞半島的維京人已在歐洲及其他地方航行。他們更航行到**冰島**及**格陵蘭**——當時歐洲人從未踏足的土地。

萊夫．艾瑞克森

玻里尼西亞人

公元11世紀，古代的玻里尼西亞人在太平洋搜尋**新島嶼**。他們到處建立家園，足跡遍及夏威夷至新西蘭。

古代的玻里尼西亞人依靠太陽和星宿來辨別方向。

玻里尼西亞人的獨木舟

海上絲綢之路

絲綢之路從公元前2世紀成為**貿易路線**。它以中國為起點，在陸地及海上延伸，連接至歐洲和非洲。

鄭和

海洋貿易

絲綢之路因中國人的絲綢貿易而得名。透過絲綢之路流通的不單是物資，也有**文化**與**習俗**的交流。

中國海洋探索

公元15世紀，中國的探險家開始航行到訪**遙遠的土地**，並與不同地方的人交流物產。

出色的船隊

鄭和將軍是最著名的中國船長。在1405至1433年間，鄭和帶領由300艘船組成的船隊七次橫渡海洋。

鄭和利用中國發明的磁羅盤在海上探索。

鄭和買賣中國絲綢和明朝花瓶，到回航時他的船載滿了貢品，包括珍珠、香料和**珍禽異獸**。

許多**城鎮**與寺廟都以中國海洋探險家**鄭和**命名。

海洋探索

海洋探索的**黃金時代**始於公元15世紀，當時的航海家不斷發現新的航線，抵達遙遠的土地。

葡萄牙的亨利王子(Prince Henry)於1415年獲任命統領一些船艦。他利用這些船艦探索**非洲**沿岸。

1488年，巴爾托洛梅烏·迪亞士(Bartolomeu Dias)成為首名繞過非洲**好望角**航行的歐洲人。

1492年，克里斯托弗·哥倫布(Christopher Columbus)航行到**加勒比海羣島**。他誤以為那裏就是亞洲，但實際上是美洲！

公元16世紀，埃爾南·科爾特斯(Hernán Cortés)前往墨西哥，並從阿茲特克人手中盜取黃金。弗朗西斯科·皮薩羅(Francisco Pizarro)則航行到秘魯，並**掠奪**印加人的**財富**。

歐洲探險家在太平洋一帶尋找陸地。詹姆斯·庫克(James Cook)船長於1770年抵達**澳洲**。

我半數的船員在航行往
印度的旅途中死去。

沒落的帝國

歐洲探險家**為當地人帶來許多問題**。他們打鬥，偷竊寶藏及引致疾病傳播。許多帝國因而毀滅，大量人口消失。

瓦斯科．達伽馬的船艦發動攻擊。

第一次**從歐洲前往印度**的海上之旅是由葡萄牙航海家瓦斯科．達伽馬(Vasco da Gama)於1498年展開的。他為歐洲帶來了許多印度香料。

1519年，葡萄牙探險家斐迪南．麥哲倫(Ferdinand Magellan)帶領了第一次**環遊全世界**的航行旅程。這次旅程證明了地球是圓的。

從1801年到1803年，英國探險家馬修．弗林德斯(Matthew Flinders)環繞**澳洲**航行一周。

歐洲的貿易商人希望找到一條往東的航線，但是俄羅斯的西伯利亞海岸長年冰封，直至1878年前，**東北航道**從未被徹底穿越過。

探險家沒有穿越風暴頻繁的北美洲海域，而是嘗試向西北方航行前往亞洲。**西北航道**最終於1906年被開通。

海上科學

許多年來，科學家研究大海，前往異域尋找**新物種**。他們的發現有助我們了解更多自然世界的奧秘。

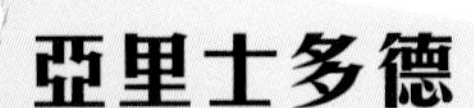

動物學是研究動物的學科。

古代的發現

公元前4世紀，希臘哲學家亞里士多德(Aristotle)研究了多種動物，並將牠們分類。他是第一個用這種方式研究大自然的人，他的研究被視為**動物學**的開端。

水的研究

德國科學家亞歷山大．馮．洪堡(Alexander von Humboldt)於1799年航行到南美洲。他蒐集了許多野生動植物，並研究**洋流**和**天氣型態**。他的發現太豐富了，足足填滿了34冊長篇著作！

瑪麗·安寧

著名的化石發現者

1811年，英國學童瑪麗·安寧(Mary Anning)在她居住地方附近的海灘上發現了一副骸骨。這副骸骨原來屬於魚龍——一種**史前**海洋爬行動物！她一生中發現了數百塊化石，這些化石有助科學家全面拼湊出古代海洋世界的面貌。

魚龍化石

許多人不相信瑪麗的發現，有些人甚至奪去了她的功勞。

小獵犬號

鳥類的喙

1831年，博物學家查爾斯·達爾文(Charles Darwin)離開英格蘭，乘坐小獵犬號環遊世界。他研究野生生物，並在南美洲的加拉帕戈斯羣島發現動物身上存在細微的差異——動物**適應**牠們所在的環境。

中嘴地雀

植食樹雀

擬鴷樹雀

綠鶯雀

達爾文發現了18種地雀，每個品種都擁有不同形狀的喙。

看看這些船！

隨年月過去，船製造得更大型，設計更精良。來，登上一些特別的船，體驗航海史上一些令人**難以忘懷的旅程**吧。

古代的獨木舟

數千年前，玻里尼西亞人利用**木材**來製造巨大開放式**獨木舟**。他們橫渡太平洋，航行了令人嘖嘖稱奇的長途旅程。

五月花號

1620年，這艘著名的船接載102個稱為**朝聖者**的宗教人士，展開危險重重的航程。他們從英格蘭前往北美洲，開展新生活。

金鹿號

金鹿號是由英國船長**弗朗西斯・德雷克爵士**(Sir Francis Drake)駕駛。它憑着1577至1580年間環繞世界的破紀錄之旅而為世人所銘記。

諾曼第號

這艘法國郵輪在1932年下水，它是當時**最大型**及**最快速**的客輪。它非常豪華，船上甚至設有一個冬季花園。

憲法號

憲法號在1797年首次下水，它是美國海軍最古老的戰艦。它的綽號為「**老鐵殼**」，因為大炮也無法擊敗它。

世界號

世界號是世上最大規模的**私人住宅船**，它擁有165間永久住所。自2002年下水後，它一直在全球各地航行。

搜索沉船

可是，不是所有船隻都正在海洋上航行。浪濤下，你會發現有**數以百萬計的船隻**靜靜躺在岩石上，或是散落在海牀各處。這些是世界各地失事沉沒的船隻殘骸。

深海大發現

水底探索家發現了許多沉船，撈獲了許多過去的**有趣遺物**……

埋藏的寶物

公元18世紀，安妮女王復仇號被海盜黑鬍子騎劫了。他在這艘船上裝滿大炮，載着一班兇悍的海盜航行。後來，許多贓物在這艘沉船的遺骸中被發現。

為什麼船會沉沒？

沉沒的原因有很多，有些遇上**風暴**和公海中的巨浪而沉沒。其他的是**翻側**或受到撞毀。許多船隻只是**入水**，然後因注滿水而沉沒。

沉船盛載過去的寶藏和秘密。但是，許多沉船未被發現，它們的下落仍是個謎。

驚人的考古文物

南海一號是一艘屬於公元13世紀的中國商船，人們在它的殘骸中發現了超過80,000件瓷器和寶物。這些考古文物讓人一窺中國貿易的歷史。

凝結時間的遺址

啟航之前，鐵達尼號曾被稱為「不沉之船」。

1912年，在首航後的第4天，**鐵達尼號**便撞上冰山而沉沒。人們花了73年尋找這艘郵輪的遺骸，但當潛水員發現時，就找尋到許多物品，包括一隻在郵輪沉沒時停止了的陀錶。

大海中的恐怖人物

許多年前，航海員必須提防一些掠奪貴重物品的犯罪分子——**小心海盜**！

海上生活

從前的海盜在每次出航時，都要忍受在人多擠迫、**老鼠橫行**的船上生活數個月。船長會訂下嚴格的規則來操控船員及保持船上的秩序。

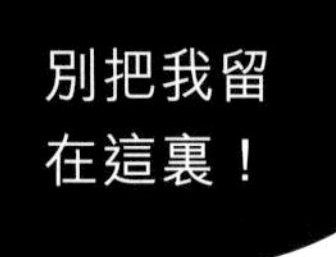

如果有海盜違反規則，他們會被留在荒島上，以作懲罰。

鸚鵡

海盜會捕捉鸚鵡出售，以換取大量金錢！

黑色底上畫有白色骷髏的旗幟是史上最有名的海盜旗。它的設計旨在令任何人看見時都感到害怕。

我是歷史上其中一個最有名氣及最駭人的海盜。

黑鬍子

海盜之王

所有海盜都希望自己令人望而生畏。公元18世紀的英國海盜**黑鬍子**(Blackbeard)是個殘酷又脾氣暴躁的人。他燃點鬍子裏的導火線來嚇唬別人。燃燒時嘶嘶作響的導火線讓他看起來像怪物一樣。

鄭石氏

厲害的海盜女王

公元19世紀的中國海盜**鄭石氏**指揮近2,000艘船和多達70,000個海盜，令人聞風喪膽。她是個嚴厲的領袖，經常令政府束手無策。鄭石氏嚴懲任何膽敢違抗她命令的海盜。

迷思與傳說

數個世紀以來，人們不斷**分享**關於海怪與失落城市的**故事**。讓我們來看看其中一些神秘的傳說吧。

美人魚

據說美人魚擁有女人的頭部和身體，但長有**魚尾巴**。有些人說她們會帶領海員到海上安全的地方，有些人則相信她們是風暴來襲前的警號。

探險家克里斯托弗．哥倫布曾將海牛誤認為美人魚！

海坊主

據說這種**日本妖怪**晚上會從平靜的海域裏冒起，襲擊船隻。它名叫「海坊主」，意思是海洋裏的和尚，因為牠擁有一顆光頭，亦有些人說牠是被淹死的僧侶鬼魂。

克拉肯

一種名叫克拉肯的巨大海怪，傳說潛伏於挪威及格陵蘭附近的海域，等待將船隻**拖進**大海裏摧毀。

亞特蘭蒂斯

傳說中，古代城市亞特蘭蒂斯**沉沒於浪濤下**，整個文明毀於一旦。時至今日，科學家利用最新的科技尋找類似亞特蘭蒂斯的失落城市。

塞王

這些危險的女妖源自希臘神話，她們會唱出令人迷惑的旋律，**引誘水手**靠近。然後，塞王會令船隻沉沒，將水手淹死。

探索海洋的**機械**

潛艇和潛水器能前往**海洋深處**，探索海洋。這些神奇的機器專為應付深海中極高的水壓而設計。

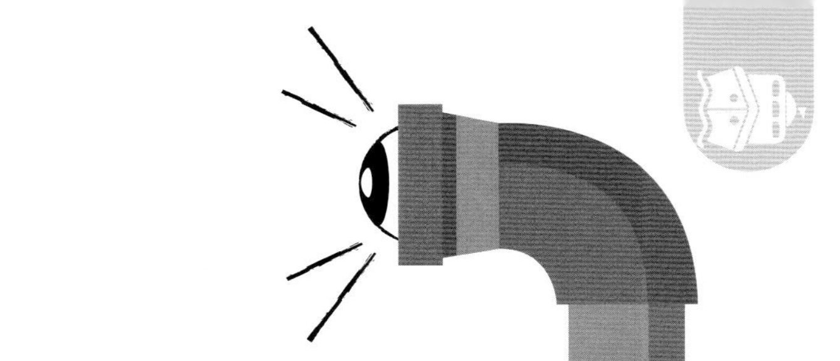

潛艇

這些**巨大機械**能夠載着船員抵達海洋的深處。它們有足夠的能源及空間，讓船員留在海底數個月。

潛艇如何運作

當潛艇上的壓載水艙**注滿**了水，潛艇會變重並下沉。當要浮上水面時，壓載水艙的水會被**排出**，令潛艇變得較輕。

潛水器

這些水中機械比潛艇**細小**得多，也**沒那麼有威力**。它們會從船上下水，探索海洋及進行研究。

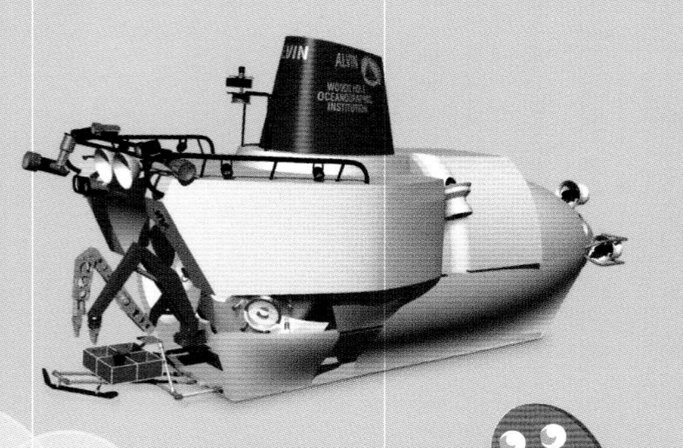

阿爾文號

這個超級潛水器於1964年首次下水，並已展開約5,000次下潛任務。登上阿爾文號的科學家發現海底熱泉。

空氣被排出。

空氣被注入。

壓載水艙排出水並浮起。

壓載水艙注滿了水並下沉。

潛艇在水底航行。

鸚鵡螺號

鸚鵡螺號是世界上首架核動力潛艇，它在1954年下水，亦是第一架抵達北極的潛艇。

探海先鋒

這些小型潛艇用作消閒娛樂。它們能以高速在水中「飛行」。

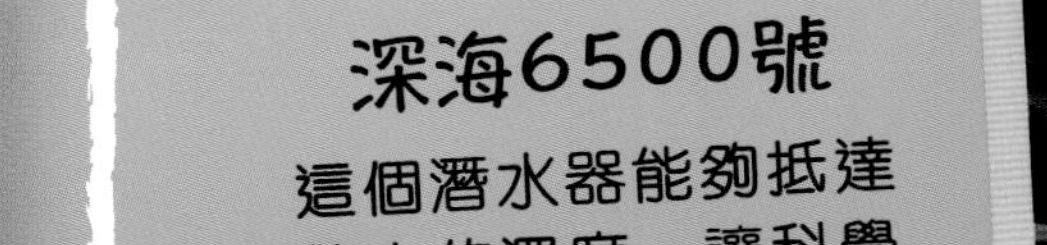

深海6500號

這個潛水器能夠抵達驚人的深度，讓科學家進行深海研究及預測地震。

潛水器如何運作

潛水器與潛艇的運作方式相似，不過大部分潛水器都是由位處海面的船上人員**遙距操控**。只有少數潛水器能載人。

深潛救難艇

一旦潛艇沉沒，深潛救難艇能夠協助被困在潛艇裏的船員，接載他們安全返回海面。

海洋**儀器**

從淺水的海面上，直到最深及最黑暗的海底，科技專家**發明**了各式各樣神奇的儀器，協助我們探索這世界的海洋。

呼吸管

這種簡單的**面罩**及**呼吸管**協助人們在淺水海域中潛游，清楚地觀看海洋生物。

呼吸管

浮標是固定的漂浮物，用來標示海中的定點位置，例如劃定安全游泳的區域。它們也可以用來監察天氣和海浪變化。

水肺潛水裝備

水肺潛水裝備讓潛水員**探索深海**。注滿空氣的氣樽協助潛水員呼吸，面罩讓他們能夠看見水中的環境。潛水員也會用蛙鞋來協助游泳。

注滿空氣的氣樽

面罩

蛙鞋

水肺潛水員

人造衛星

人造衛星在地球上空盤旋。航海員會用儀器偵測來自人造衛星的訊號，以協助引導他們的船隻安全地駛過海洋。

燈塔的光在許多公里外都能被看見。

燈塔的光

燈塔

燈塔多年來一直為航海員指引方向。這些高塔頂部明亮的照明燈會**發出警示**，提醒船隻小心海面上有大浪或多石的海岸線。

水中聽音器

這些特殊的水底麥克風被稱為「**水中聽音器**」。它們能夠偵測聲音及重播，甚至能錄下鯨魚的歌聲！

水中聽音器

咿唷噢！

科學家會留在水面上安全的地方，使用無載人的遙控載具來展開深海研究。

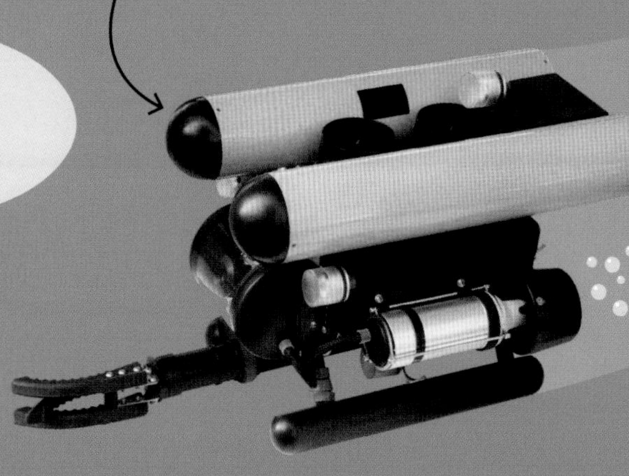

繪製海洋地圖

隨着科技進步，科學家利用科技來研究更多海洋的狀況，製作詳盡的海牀**地圖**。

海洋任務

1872年，英國研究船挑戰者號啟航，以**進一步了解海洋**。它是一座在海上漂浮的科學實驗室，載有許多瓶子來收集海水樣本，也有漁網來蒐集各種生物。

挑戰者號

1882年，信天翁號從美國出發。它是第一艘由政府建造用來進行海洋研究的船。

挑戰者號上的實驗室。

挑戰者號的旅程是現代海洋學的開端——研究海洋的學科。

來自挑戰者號的研究樣本

海牀一直是個謎團，直至……

1872年

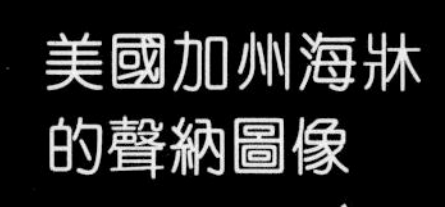

美國加州海牀的聲納圖像

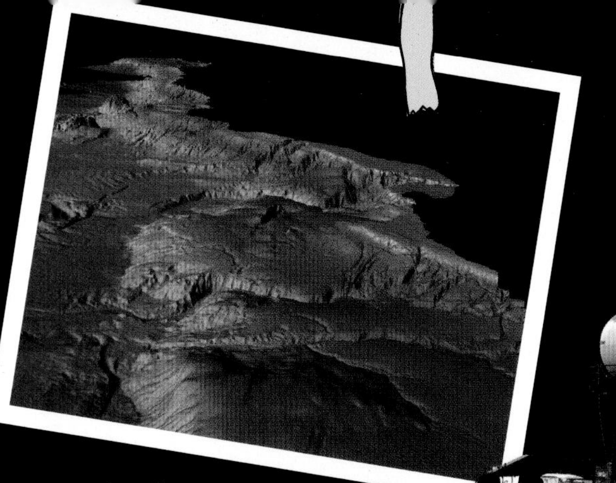

研究船

為了更仔細地繪製海牀地圖，科學家作出了重大的努力。

超級聲納

到了20世紀，科學家利用聲納技術來計算**海洋的深度**，並尋找海底的物件。

船隻利用聲納向下傳送聲波到海牀。

聲波反射回船上所需的時間會用於計算海面與海牀之間的距離。

在20世紀中期，美國人瑪麗．薩普(Marie Tharp)及布魯斯．希普(Bruce Heezen)製作了第一幅詳細的海牀地圖。

大部分海牀仍需要利用聲納繪製地圖！

海洋仍有許多尚待發現的奧秘！

2021年

深入的發現

自19世紀以來，科學家不斷**深入**探索海洋。他們發現了一些非凡的事物。

藍網海星

1818年

蘇格蘭探險家約翰．羅斯爵士(John Ross)捕捉到海星和蠕蟲後，認為深海裏也有生命。

1841年

博物學家愛德華．福布斯(Edward Forbes)探索地中海。他認為在比548米更深的海底中沒有任何東西存活，不過他的想法已被證實是錯的！

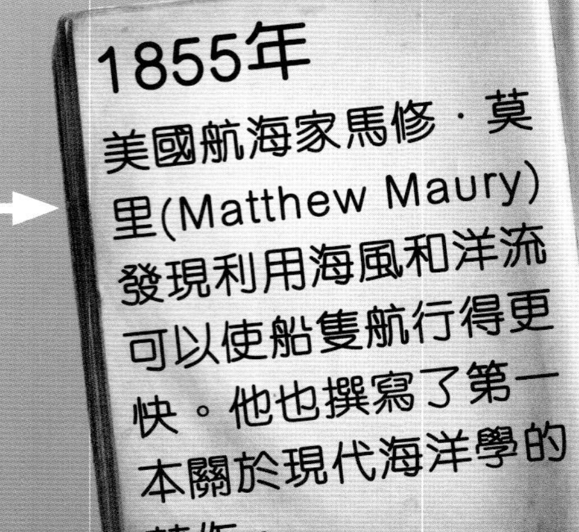

1840年

約翰．羅斯爵士的姪子詹姆斯．克拉克．羅斯爵士(James Clark Ross)利用一根綁上重物的繩子來量度海洋深度。

1855年

美國航海家馬修．莫里(Matthew Maury)發現利用海風和洋流可以使船隻航行得更快。他也撰寫了第一本關於現代海洋學的著作。

1857年

第一個海底山谷是在美國加州的蒙特利峽谷附近發現。美國軍官詹姆斯．奧爾登(James Alden)發現了這個海牀凹陷的位置。

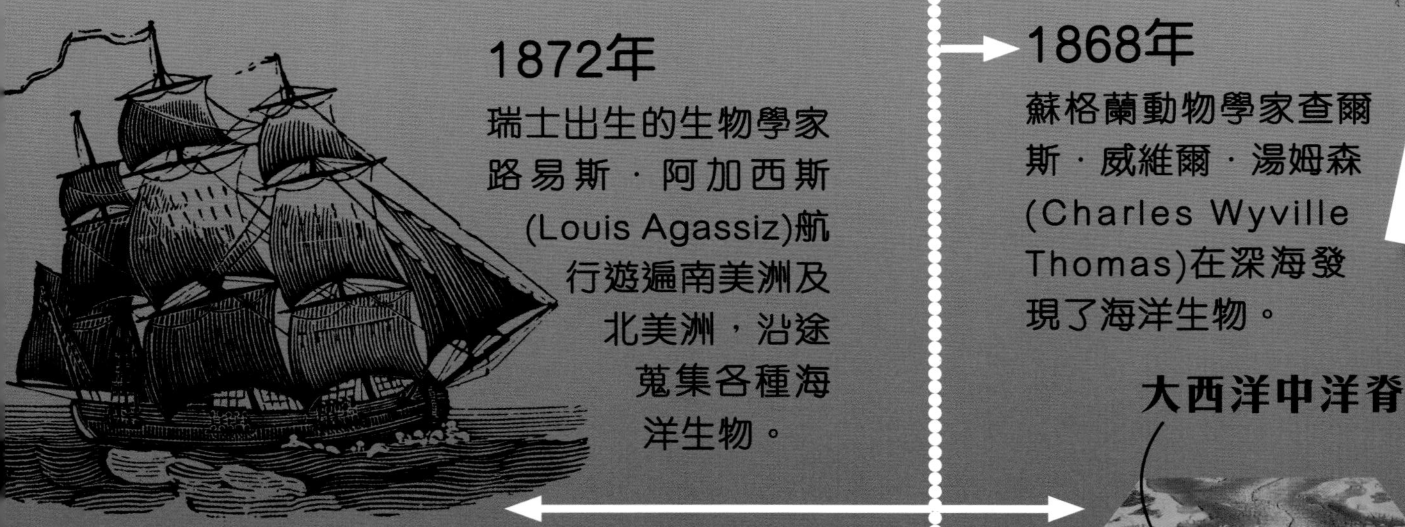

1872年

瑞士出生的生物學家路易斯·阿加西斯(Louis Agassiz)航行遊遍南美洲及北美洲，沿途蒐集各種海洋生物。

1868年

蘇格蘭動物學家查爾斯·威維爾·湯姆森(Charles Wyville Thomas)在深海發現了海洋生物。

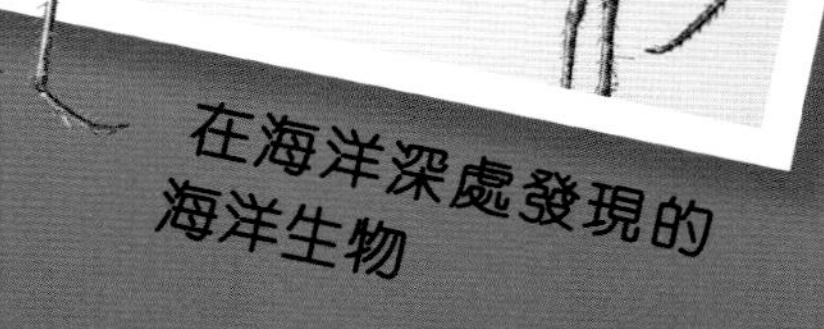

在海洋深處發現的海洋生物

1898年

德國生物學家卡爾·宗(Carl Chun)在亞南極海域航行，發現了吸血烏賊。

大西洋中洋脊

1872-76年

研究船挑戰者號發現了海底山脈、海溝和大西洋中洋脊——世界上最長的海底山脈。

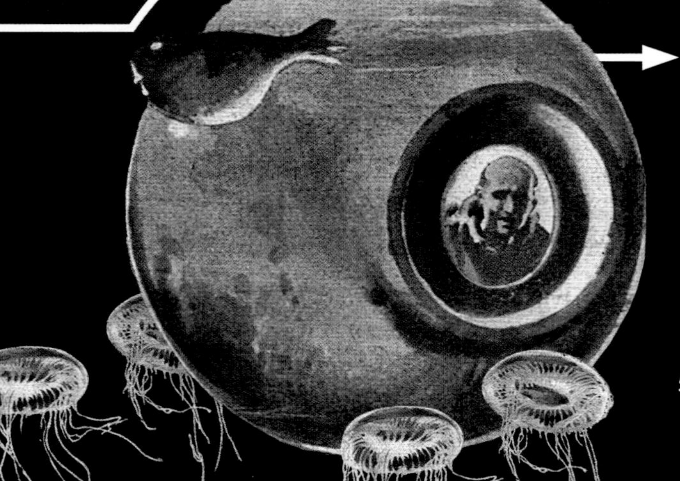

1925-27年

德國隕石考察團第一次仔細考察了南大西洋。

1930年

美國探險家威廉·畢比(William Beebe)及奧蒂斯·巴頓(Otis Barton)抵達了前所未見的海洋深處。他們乘坐自己建造的鋼鐵潛水器，發現了不同的深海生物，包括發光水母！

探究馬里亞納海溝

馬里亞納海溝擁有冰冷的溫度與巨大的水壓，因此只有少數人曾經探索過這個地球上**最深的地方**。

如果你向馬里亞納海溝丟進一塊石頭，它也要花上超過**1小時**才能抵達海溝的底部！

馬里亞納海溝

馬里亞納海溝的水深11,034米，位於日本與澳洲之間的**太平洋**。它實在太深，假如珠穆朗瑪峯（地球上的最高點）放在這條海溝中，它的頂峯也會完全被淹浸在水中！

深入向下

當地球的**地殼**互相碰撞及被往下推時，便會在水底形成海溝。

珠穆朗瑪峯的頂峯位於海拔8,848米。

美國探險家維克托．韋斯科沃(Victor Vescovo)是第一個登上珠穆朗瑪峯及抵達馬里亞納海溝底部的人。

歷史以來只有極少數**考察團**抵達馬里亞納海溝的深處……

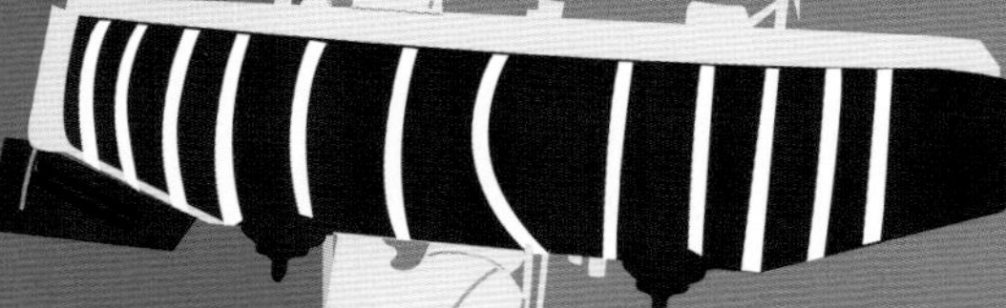

里雅斯特號

創造歷史之旅

1960年，雅克·皮卡爾(Jacques Piccard)及唐·沃爾什(Don Walsh)成為了第一批到訪馬里亞納海溝的人。

他們乘坐里雅斯特號潛艇，花了五小時才抵達了海溝底部。

雅克·皮卡爾

我們看見了一隻不明海洋生物，證明了深海裏也有生命存在。

單人旅程

2012年，電影導演**占士金馬倫**(James Cameron)展開了史上最深的單人潛水。他乘坐深海挑戰者號潛艇，花了兩個半小時才抵達地球上最深的地方。

占士金馬倫拍下了馬里亞納海溝的照片，並在海溝底部蒐集樣本。

深海挑戰者號

永不放棄

2019年，維克托·韋斯科沃乘坐限制因子號潛水器，抵達馬里亞納海溝深處。他抵達了比任何人到過更深的地方，發現了一些生物，包括像蝦一樣的端足類動物和匙蟲。自2019年起，他曾數次重返馬里亞納海溝。

限制因子號

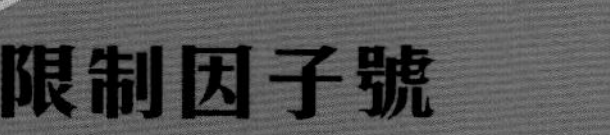

在馬里亞納海溝底部發現膠袋，顯示了塑膠污染的嚴重程度。

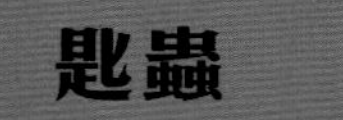

匙蟲

端足類動物

海底山脈

海洋裏遍布許多高山。這些**海底山**為海洋生物創造了理想的棲息地。

戴維森海底山的人造衞星影像

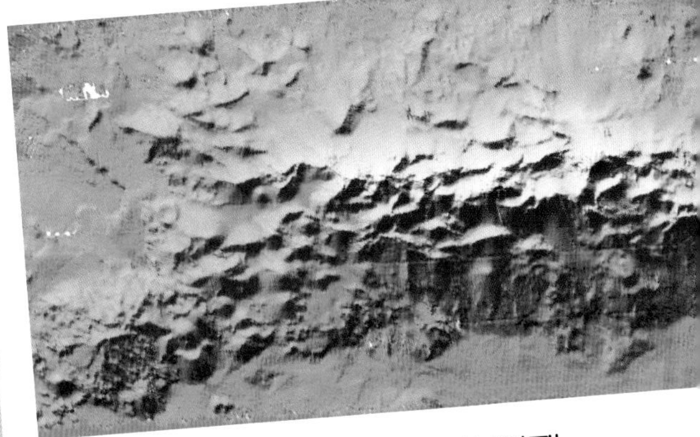

最高的海底山可被人造衞星偵測到。較細小的海底山則難以偵測，只能利用聲納來尋找。

海底山是什麼？

海底山是從海牀冒起，位於**水中的高山**。它們非常巨大，但不會衝破海洋的表面。

洋流

洋流會圍繞着海底山旋轉，帶來富營養的物質，供海洋生物進食。

海底山的確切數量仍是未知之數。

海底山為展開遷徙的海洋動物提供了重要的地標。

大部分海底山都是**死火山**，因此它們不會**爆發**！

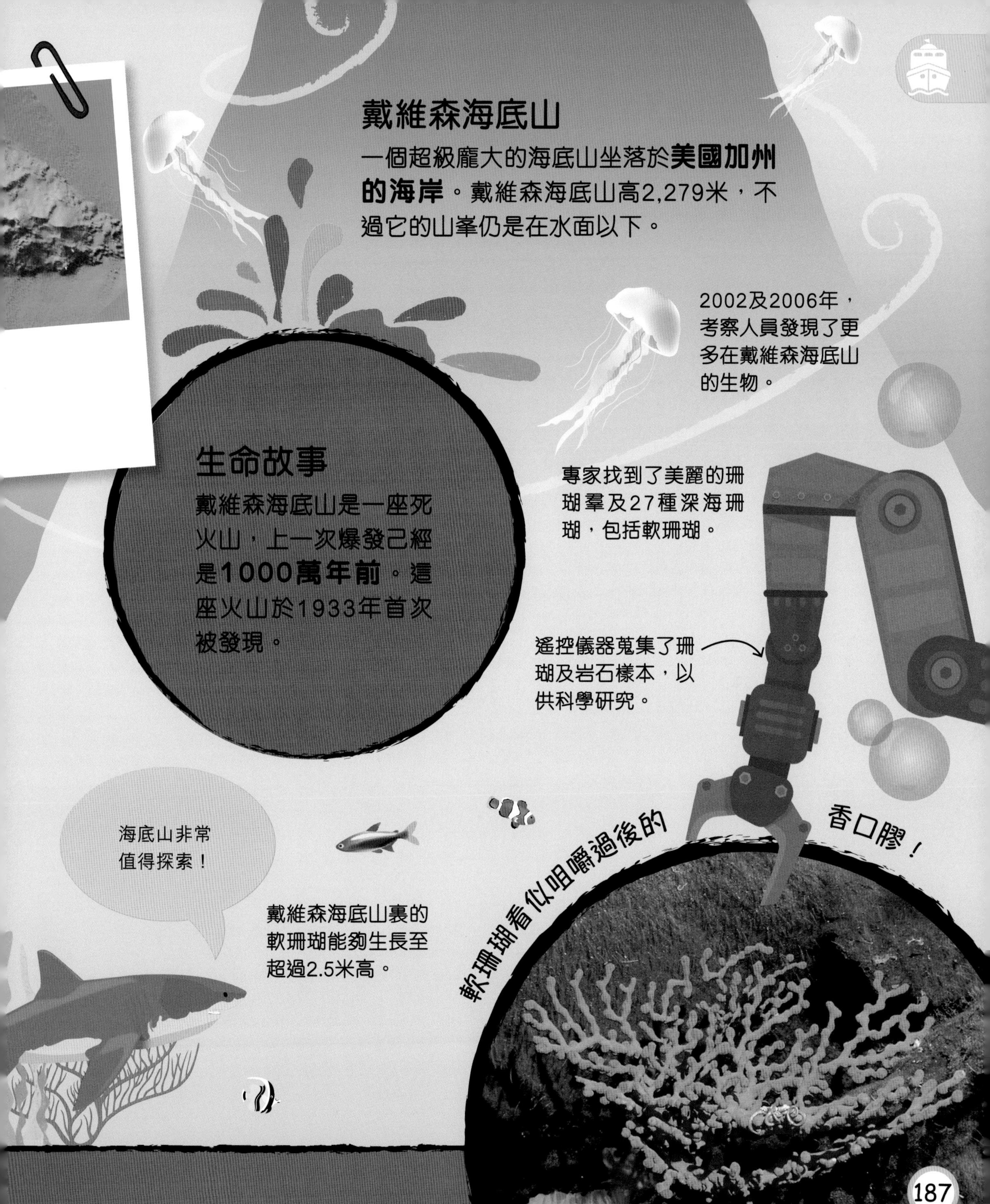

戴維森海底山

一個超級龐大的海底山坐落於**美國加州的海岸**。戴維森海底山高2,279米，不過它的山峯仍是在水面以下。

2002及2006年，考察人員發現了更多在戴維森海底山的生物。

生命故事

戴維森海底山是一座死火山，上一次爆發已經是**1000萬年前**。這座火山於1933年首次被發現。

專家找到了美麗的珊瑚羣及27種深海珊瑚，包括軟珊瑚。

遙控儀器蒐集了珊瑚及岩石樣本，以供科學研究。

海底山非常值得探索！

戴維森海底山裏的軟珊瑚能夠生長至超過2.5米高。

軟珊瑚看似咀嚼過後的香口膠！

在溶坑裏

在全球的海洋裏遍布了巨大深沉且呈圓形的水底深坑，稱為**海底溶坑**。

大藍洞

海底溶坑是什麼？

海底溶坑最初是陸地上的**坑穴**。隨着時間過去，海洋冒起，坑穴被淹沒在海中。坑穴的頂部漸漸崩塌，形成了充滿海水的**深坑**。

最深的海底溶坑是位於南中國海的三沙永樂龍洞。它的深度與摩天大樓的一樣高！

超大型溶坑

全世界最大的溶坑是位於加勒比海的**大藍洞**。它吸引全球各地的潛水好手造訪。2018年，科學家探索它的深度。

大藍洞

珊瑚

海龜

最初，團隊人員發現許多**海洋生物**，包括珊瑚、海龜和鯊魚。

鯊魚

往更深處探索後，科學家發現了一層充滿了**危險化學物**的海水。這層海水是自然存在的，它可在淡水與海水交集處出現。

在這層海水下面，便沒有找到任何存活的海洋生物。那些化學物的**毒性**太強，所以只有細菌能夠在那裏存活。

科學家正研究溶坑底部的細菌如何能夠生存。

在溶坑底部，他們發現了貝殼和骨頭，甚至有氣飲品瓶。

海洋**英雄**

一些**勇敢**又**聰明**的人們在海洋裏興起風浪。我們來認識一下吧！

美國探險家**凱瑟琳・蘇利文**(Kathryn Sullivan)不僅是首名在太空漫步的女性，更是首位到達馬里亞納海溝的女性——那是海洋最深的地方！

德國工程師**埃麗卡・伯格曼**(Erika Bergman)是一位潛水器駕駛員，她曾前往深海數百次，也設計了許多船隻、潛艇和潛水器。

賽普勒斯科學家**露絲・蓋茨**(Ruth Gates)一生致力於拯救珊瑚礁。她找出了一個方法讓一些珊瑚能在氣候變化的影響下存活。

羅伯特・巴拉德

美國海洋學家**羅伯特・巴拉德**(Robert Ballard)利用潛水器來調查船隻殘骸。他發現鐵達尼號，那是於1912年撞上冰山而沉沒了的著名郵輪。

鐵達尼號殘骸

印度海洋生物學家**蘇內哈・賈甘納坦**(Suneha Jagannathan)研究修復全球的海洋棲息地，保護各地原生動物，例如海龜和短吻鱷。

短吻鱷

1888年，**弗里喬夫・南森**(Fridtjof Nansen)成為首位乘坐雪橇越過格陵蘭冰原的人。這位挪威探險家發現了有關冰川、洋流及氣候的資料。

19世紀，英國植物學家**安娜・阿特金斯**(Anna Atkins)撰寫了第一本有照片的印刷書。她利用光學技術，拍攝不可思議的海藻照片。

麥迪遜・斯圖爾德(Madison Stewart)被暱稱為「鯊魚女孩」，她在澳洲長大，常在大堡礁潛水。她製作了許多影片，鼓勵人們保護鯊魚。

運動紀錄

一些最偉大的**運動成就**在我們的海洋裏誕生。

來參加派對！

北極熊跳水活動(polar bear plunge)是指一羣人跑進極度寒冷的海水中。最大型的一次活動於波蘭的米耶洛(Mielno)舉行，當時有1,799人參加！

深海潛水

水肺潛水最深紀錄是由**艾哈邁德・賈布爾**(Ahmed Gabr)創下。他在紅海潛入了超過332米。

他花了12分鐘往下潛，但是需要15小時才能返回水面。

噗嚕嚕嚕嚕！

僅僅戴着泳鏡、泳帽及泳衣，**劉易斯・皮尤**(Lewis Pugh)成為了第一個在正融化的南極冰蓋下方游泳的人。當他完成後，手指幾乎都已被凍僵！

長途游泳

韋利科・羅戈希奇(Veljko Rogošić)游泳約255公里，跨越亞得里亞海。這過程需時超過兩天，是歷史以來不穿蛙鞋的最長游泳距離。

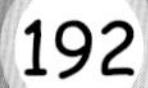

自由潛水

女子自由潛水的世界紀錄是由**阿倫卡・阿特尼克**(Alenka Artnik)創下。她在埃及附近的紅海下潛了114米。她沒有使用任何呼吸器具來完成這項壯舉。

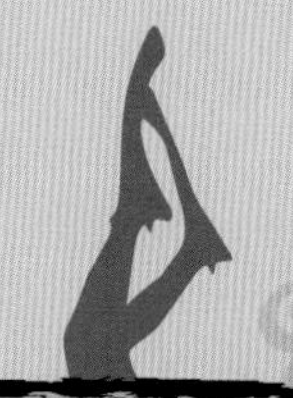

高速航行

愛倫・麥克阿瑟女爵士(Dame Ellen MacArthur)在僅僅71天內不停站環繞世界航行——在旅程中只有她一個人！

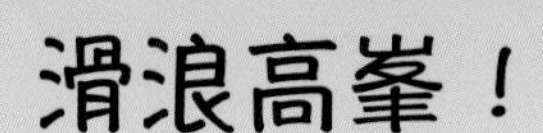

海上生日

馬克西姆・伊萬諾夫(Maxim Ivanov)在海上迎來17歲生日，他成為了最年輕划艇橫渡大西洋的人。這段旅程由葡萄牙出發，前往巴巴多斯，歷時105日。

划艇紀錄

2019年，4名來自安提瓜和巴布達的女性創造歷史，成為首支划艇越過大西洋的**全黑人團隊**。

滑浪高峯！

瑪雅・加貝拉(Maya Gabeira)創下了女性最大的滑浪紀錄。她滑過那個逾22米高的巨浪——相當於4隻長頸鹿的高度！

繼續划！

羅恩・薩維奇(Roz Savage)是第一個划艇越過太西洋、太平洋和印度洋的女性。她獨自在海上度過了超過500天。

海洋與我們

海洋是一個巨大的遊樂場，我們可以享受海灘假期，刺激的水上活動和風光如畫的遊船之旅！海洋也是重要的食物和能量來源。但是，人類活動可能為海洋帶來問題，因此我們要為未來**保護**這個不可思議的海洋。

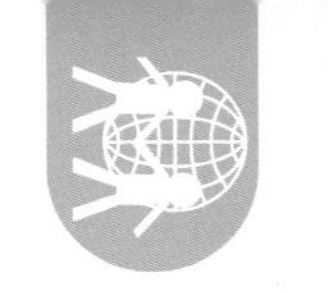

海上樂趣多

海洋廣闊無際，讓我們走進這個浩瀚空間，出海好好玩樂吧！你最喜歡哪一種海上**活動**？

船隻可用於所有海上康樂活動。大型的郵輪最適合用來度過悠閒的假期，而較小的帆船用來競賽。

小船航行

夏威夷、澳洲和加州都是一些滑浪的絕佳地點。

滑浪

游泳是有趣的水上活動，但要小心不要在離岸太遠的水域游泳或漂浮。

游泳

許多海上運動需要浮板。所有浮板看上來相似，但卻有些不同。槳板很平坦，讓人平穩乘坐，而滑浪風帆板上裝有船帆，讓人乘風前進。

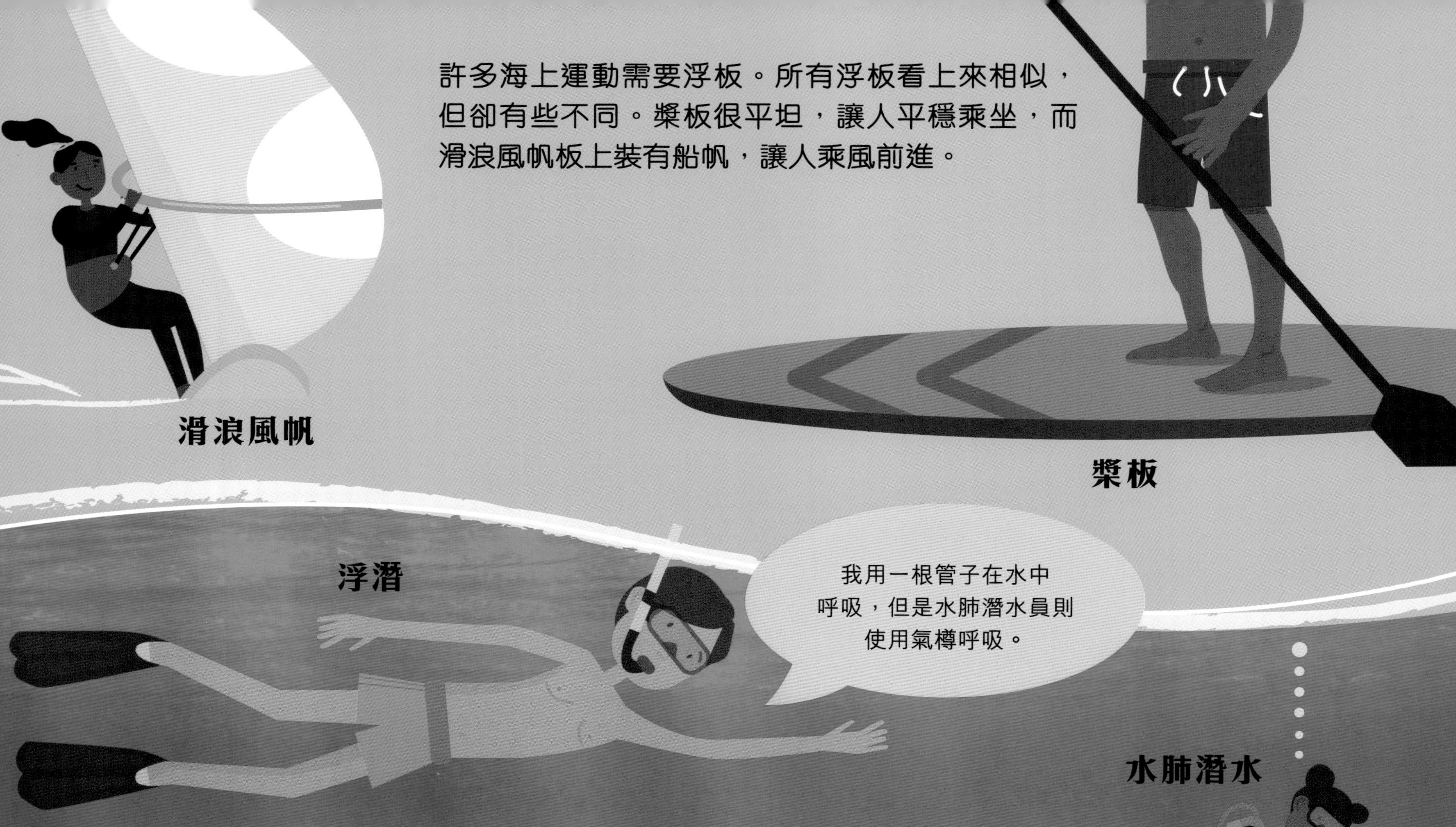

浮潛與**水肺潛水**讓我們能更近地觀看海洋生物。浮潛者會留在接近水面的地方，而水肺潛水員會潛往更深處。

你需要先通過考核，才能參與水肺潛水。

海灘假期

數以**百萬**計的人不時聚集於全球各地的海灘，享受陽光、沙和大海。拿起你的泳裝和太陽油——我們出發去海灘吧！

來到這個位於希臘**扎金索斯島**的小海灣，不難發現一艘又一艘船接載大批遊客。這個沙灘上有一艘船隻殘骸，海灣背後的岩石看似一頭巨鱷在陽光下好夢正酣。

馬爾代夫位於太平洋，是一連串如夢似幻的島嶼。憑藉清澈的熱帶海水與奇幻的海洋生物，令這些島嶼成為深受歡迎的水肺潛水勝地。

美國佛羅里達州**邁阿密海灘**的旁邊設有行人大道，人們會在大道上踏單車、踩滑板和玩滾軸溜冰。

科帕卡巴納海灘

邁阿密海灘

巴西里約熱內盧的**科帕卡巴納海灘**布滿隨風晃動的棕櫚樹與寬廣的潔白幼沙，深受遊客歡迎。

澳洲悉尼的**邦迪海灘**舉世聞名，滑浪好手齊集那裏追風逐浪。海灘上應有盡有，包括全年無休的有趣節慶活動。

博爾德斯海灘

邦迪海灘

博爾德斯海灘位於南非開普敦，它不僅擁有柔軟的沙，還有一羣非洲企鵝在那裏生活！

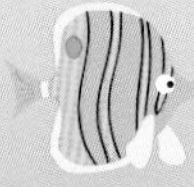

在海底裏生活

科學家和**探險家**都喜愛在海洋裏生活的構想。不過他們的設計有哪些成功了嗎？來跳進海裏看看吧……

海底棲息地

海底棲息地是水底的**永久居所**，讓人們在當中每次居住數星期。這些居所裏設有用餐、工作、休閒及睡覺的空間。

濕漉漉又瘋狂

海底裏有各式各樣的活動，供遊客和潛水員體驗……

位於墨西哥坎昆的水底美術館在海牀上展示了超過500個雕塑，也設有以保護珊瑚礁為主題的畫廊。

世界上唯一的海底郵局位於太平洋的海德威島外海。泳客和浮潛者能在那裏寄送防水的明信片。

長期在水底下生活後，再重返水面時可能會發生危險。腦部和神經系統會承受重大的水壓。

成功經歷

1960年代，法國探險家雅克．庫斯托(Jacques Cousteau)設計多個水底研究站。第一個研究站是一個**細小的鋼鐵圓筒**，裹面有許多舒適的家居設施，包括電視機和收音機。

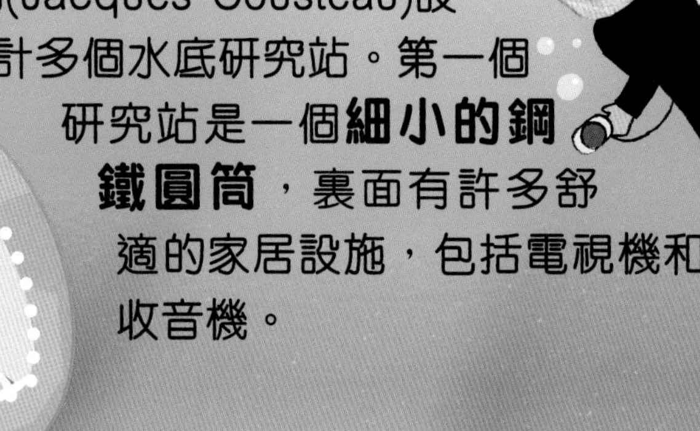

雅克．庫斯托

海星屋

庫斯托設計的最大型研究站是海星屋。它的形狀就像一顆海星，位於紅海海底。庫斯托及他的團隊利用海星屋為基地，駐留了一個月，以**研究魚類**和**海洋地圖**。海星屋內有熱水、暖爐、電話及錄音機。

2019年，世界上最大規模的水底餐廳在挪威開幕。它擁有巨大的玻璃窗，讓客人望進海底裹。

現時只有一個永久的水底研究基地。它位於美國佛羅里達礁島羣的海底裹，設有名叫「水瓶座」的實驗室。科學家會在那裹進行研究，太空人則在那裹為太空任務作準備。

在波濤上工作

許多人在海邊、海洋裏和海面上工作。對他們來說，每天都是一場**大冒險**！

海洋保育員

人類在許多方面破壞了地球。海洋保育員尋找不同的方式來**保護**環境。

海洋工程師

工程師會**解決問題**，不斷想出新的想法。海洋工程師可能會協助設計及建造海上鑽油台，以開採石油。

海洋生物學家

研究海洋**動物**及**植物**的棲息地與行為是海洋生物學家的工作。

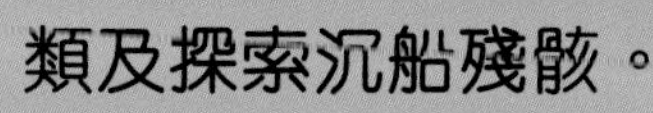

深海潛水員

潛水員是**水中探險家**。潛水員能夠游到海洋的深處，拍攝魚類及探索沉船殘骸。

看見浮冰！

國際冰海巡邏隊的工作人員把海面漂浮着的**冰山拖離**鑽油台的範圍。

海岸防衛隊的直升機

海洋動物獸醫

當海洋動物**受傷**或**生病**，海洋動物獸醫會出手相助！

漁夫

漁夫乘坐漁船出海，**捕捉**鮮魚，製成鮮魚大餐。

海岸防衛隊

海洋可以是個危險的地方。海岸防衛隊**拯救**需要援助的人。

海洋學家

海洋學家利用科學工具及技術來研究海洋，製作**海牀地圖**。

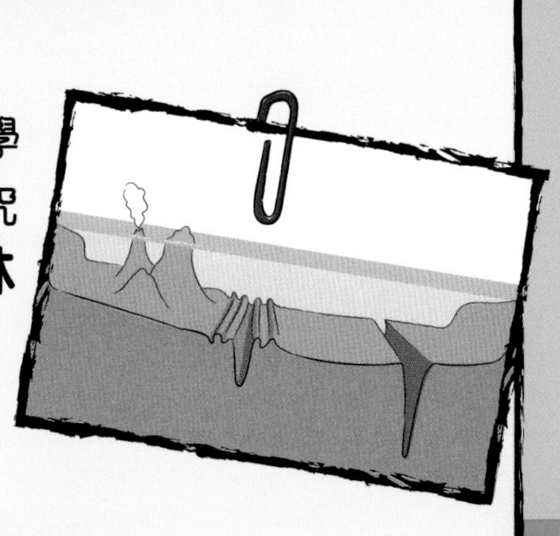

海洋機械技工

海洋機械技工檢查及**維修**各種類型的機械，包括細小的艇和巨大的戰艦。

戰艦

海上**救援**

海洋可以是個危險重重的地方。幸好有一些人們努力不懈，嘗試令海洋變得更**安全**。

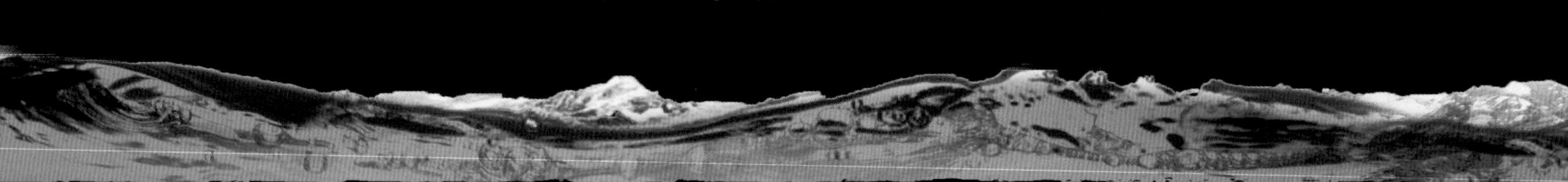

危機四伏的海洋

早期出海的探險家在旅途遇上**極高的風險**。他們可能面對致命的風暴和海浪的顛簸。大部分探險者都不會游泳，他們可能被淹死。時至今日，受訓的救生員和海岸防衛隊員拯救在海上遇險的人。

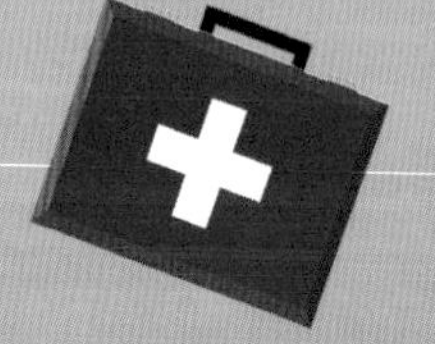

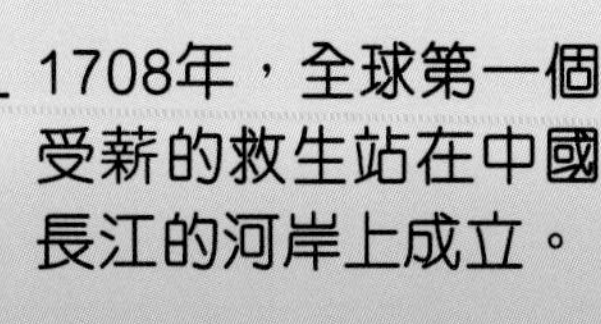

1708年，全球第一個受薪的救生站在中國長江的河岸上成立。

第一艘救生艇

你需要一艘**不會沉沒的救生艇**才能拯救沉沒中的船隻或掙扎求生的泳客。第一艘救生艇是在一場海難後發明的。這場海難的發生是因為一艘船撞上另一艘船，令船員淹死了。當時，救生艇的設計是一個比賽的參賽作品。

第一艘救生艇

重要的獎項

威廉·沃德哈夫(William Wouldhave)和亨利·格雷特黑德(Henry Greathead)參加了首個救生艇設計比賽。比賽的獎項是2基尼（大約相等於2.1英鎊或2.91美元）。當時的評審無法決定誰是勝出者，所以他們結合了兩個人的概念，成為了最終的設計。沃德哈夫因而怒火中燒，大會於是改為請求格雷特黑德負責建造救生艇。如今，格雷特黑德被視為救生艇的發明者。

£2

10p

海上漂流

當船隻在海上漂浮，無法控制方向或綁住物件來固定位置時，便稱為漂流。1813至1815年間，日本船長小栗重吉及其中一名船員山本音吉在海上漂流。他們度過了長達**484**天後，仍然生還獲救——那是歷史以來在海上漂流的最長時間！

他們靠大豆和水維生。

海洋資源

　　世界上的各處海洋都是繁忙的地方！從製藥與採礦到運輸與貿易，海洋提供了不同的**資源**和**服務**，協助世界上的所有人。

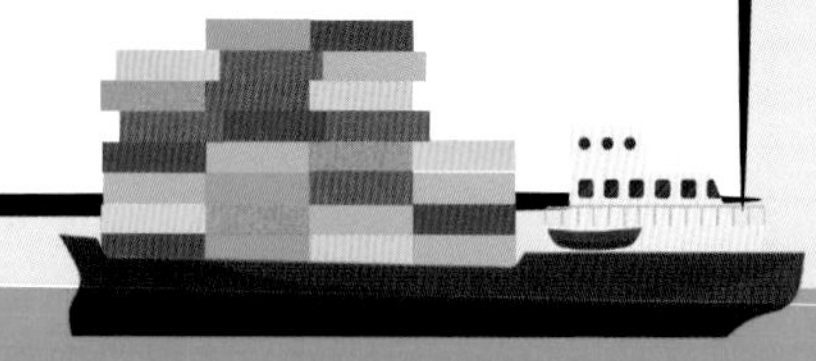

神奇的藥物

海洋生物可用來製造**藥物**。芋螺曾經用於製造止痛藥，海綿及珊瑚為治療疾病的新療法帶來啟發。

超級海藻

亞洲的海洋有大量**海藻**生長。農民會收集這些非常受歡迎的海藻，作為食物出售。海藻也能作為燃料，製造植物肥料及護膚產品。

風力發電機建立在海洋裏，它們巨大的扇葉會因強風而轉動。它們產生動力，再轉化成電力。風力發電機產生的能源是可再生的，用之不竭。

尋找燃料

石油和**天然氣**蘊藏於海牀內一層層的岩石下面。這些化石燃料能夠透過鑽探取得，它們提供了能源，但最終會完全耗盡。

每年大約有2億個貨櫃由貨櫃船運送至目的地。

鹽分充足的海洋

海洋提供不同的**礦物質**，包括鹽。許多年來，生活在沿海的人們一直利用這些帶有鹹味的海水來製作可食用的鹽。

巨大的貨櫃船帶着沉重的貨物跨越海洋，這些貨物用鋼製的箱子裝好，箱子像磚塊般高高疊起來。

當海水蒸發後，我們就能收集鹽。

魚類、貝類和甲殼類動物也是重大的食物來源。

漁業

有誰不愛鮮魚大餐？但是，漁業有哪些危機？我們又如何能夠為未來好好**保護**我們的魚類朋友？

漁業

數以百萬計的人類依靠捕魚為生。這種全球性行業每年生產數以**噸**計的海鮮。

海鮮大餐

海鮮是重要的**蛋白質**來源，可保持我們的身體強壯及健康。富含油脂的魚類，例如鮭魚，對提升腦部功能很有幫助。

天婦羅炸蝦含有豐富的蛋白質。

我們選擇進食由致力保護海洋棲息地與海洋生物的漁民

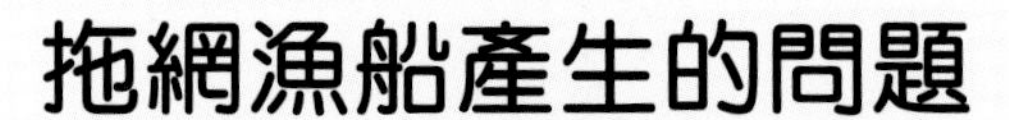

拖網漁船產生的問題

一些大型的**拖網漁船**在海床上拖曳巨大的漁網，並將魚獲撈起來。但是它們會破壞海床，傷害生活在海床上的動物。

過度捕魚

超過400種海洋生物因過度捕魚而瀕臨絕種。

拖網漁船

鯨魚、海豚及海龜可能被漁網纏住。

他們又來了！

限制捕魚為未來

過度捕魚是指大量魚類在短時間內被捕捉，令牠們面臨滅絕的危機。**可持續**漁業能夠保護魚類。魚類會以較慢的速度被捕捉，讓魚類有時間繁殖及增加數量。

捕捉的魚類，便能有助保育。

海洋生態危機

我們的海洋深受**人類活動**影響。人類影響海洋生態環境時，水質與野生生物同樣受到損害。

喂？有人聽到我說話嗎？

瀕危動物

人類活動損害海洋生物的生命。**噪音**污染影響灰鯨之間的溝通，海龜也因**棲息地被破壞**而失去了築巢的地方。

灰鯨

多年來，人們捕獵鯨魚，以取得牠們的肉、油和骨頭。現時，很多地方有法例禁止捕鯨。

鑽探

石油和天然氣從海牀下的深處開採而來。鑽探影響周邊環境與在當中生活的生物。

石油泄漏

如果油輪發生泄漏，漏出的石油會在水中擴散，污染海洋及**損害野生生物**。

污染

許多有害的東西都會污染海洋，例如垃圾及農夫使用的化學肥料等。有毒廢水的排污系統也可能**泄漏**，令污水滲入大海。

石油黏住海鳥的羽毛，令牠們難以浮起來。當牠們嘗試清理身上的油污時，也可能吞下有害的石油。

拖網漁船的漁網會破壞海牀上的生物棲息地。

用行動改變

現在好消息來了！**新的法例**、保育計劃及行動可幫助保護和挽救海洋。

氣候變化

現時，我們的地球以較過往都要快的速度**暖化**。人類活動嚴重加速暖化，它帶來的毀滅性後果已在海洋裏清晰可見。

氣候變化會導致**極端**天氣，例如**旱災**和

全球暖化

燃燒煤炭等化石燃料，令有害的氣體釋放至大氣層。這些氣體會困住熱力，令地球變得更熱。這現象稱為全球暖化，它會導致**森林大火**等災難。

森林大火

融化的冰

全球氣溫上升導致冰雪融化，也使冬季裏形成的冰減少。許多極地動物失去了牠們用於出行及獵食的冰。

北極熊

二氧化碳會被海洋吸收，令海水變得更酸。許多貝類因而死亡。

我們能在哪裏生蛋呢？

海灘消失在上升的海水之下，令海龜無法再到海灘生蛋。

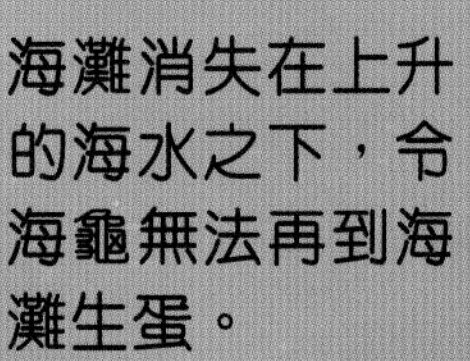

風暴。

海平面上升

塞舌爾拉迪格島

在冰雪持續融化之際，額外的水導致海平面上升。一些島嶼和海岸及在那裏生活的人面臨被海水**淹沒**的風險。

珊瑚白化

當海洋變得較熱，珊瑚便會受壓、**變白**及**死亡**。這現象稱為「珊瑚白化」，它會導致許多海洋生物無家可歸。

我的家發生了什麼事？

白化了的珊瑚

塑膠污染

每年數以**百萬噸**計的塑膠流落到海洋中。塑膠污染海洋，也對動物構成危險。不過，我們能做許多事情保護海洋！

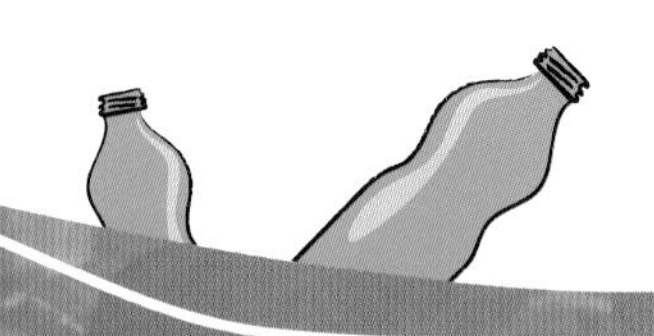

垃圾大集合

太平洋垃圾帶位於北太平洋，是一處有大量**塑膠垃圾**漂浮的廣大區域。洋流會呈圓形移動，導致垃圾堆積在一起不斷旋轉。

海洋生物會被塑膠困住，或是因誤吃塑膠而生病。

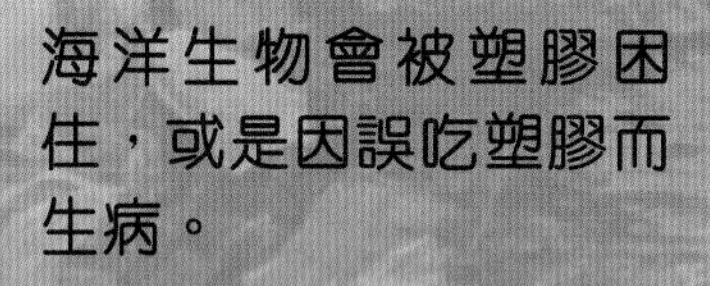

變成碎片

塑膠會分解成**微塑膠**，即是大約等同芝麻籽的大小的塑膠微粒。微塑膠太細小，海洋生物吞下它們，令微塑膠進入食物鏈。

如何幫忙

海洋塑膠是可怕的問題，但是我們所有人都能幫忙**改善**狀況。

這個太平洋上的古怪
新島嶼到底是什麼？
大部分塑膠垃圾會被沖到海灘上，因
此海灘需要由人手清理。
咦！這不是
水母！
減少使用
避免使用即棄
塑膠用品。
循環再造
將垃圾放進回
收箱。
重用
購買能夠多次
使用的物品。
清理垃圾
加入海灘清潔
團隊。

拯救我們的海洋

許多人努力**保護**地球。從全球慈善組織到地區社羣，他們的工作啟發了我們出多一分力幫忙。

清潔海洋運動

2017年，聯合國展開清潔海洋運動，呼籲人們一起**減少塑膠污染**。至今，全球超過57個國家及地區加入了這個運動！

清潔海洋運動鼓勵循環再造，反對使用即棄塑膠產品。

海洋保護區

海洋保護區是海洋裏**禁止捕魚**和**興建建築物**的區域，目的是保護海底生物的棲息地。

加拉帕戈斯海洋保護區圍繞着太平洋的加拉帕戈斯羣島。它是其中一個最大規模、擁有不同種類的生物的海洋保護區，當中有接近3,000個海洋生物物種。

出色的保育人士

讓我們認識一些決心**修復**及**守護海洋**的保育人士吧。

大衛·艾登堡爵士(Sir David Attenborough)這位自然歷史學家熱愛我們的地球。他的電視節目系列《藍地球》聚焦於海洋面對的問題。

格雷塔·通貝里(Greta Thunberg)瑞典少女通貝里因努力阻止氣候變化而知名。她要求各國領袖採取相關行動。

克里斯塔爾·安布羅斯(Kristal Ambrose)加勒比海保育人士安布羅斯成立了巴哈馬塑膠運動，它是一個尋求方法減少海洋塑膠污染的環保組織。

迎向未知的旅程

地球上大部分的海洋都未被**探索**過——那只是暫時！海洋仍有許多奧秘等待我們發現，但是我們必須保護美好的海洋，讓未來下一代也可享受。

深海潛水器

環保組織的目標

環保組織Oceana是保護全球水域的最大型國際組織。他們的目標是在2030年能夠保護全球30%的海洋。

有些組織致力制止損害海洋的活動，例如制止在海洋保護區海底裏拖網捕魚等。

關注未來

人類活動為海洋生物帶來嚴重影響。支持環境保護計劃，找出可持續發展的生活方式對海洋的未來發展是非常重要。

生命本質

太空探索任務尋找其他行星上的生命，但是在地球上，我們仍未確實知道生命是如何及從哪裏開始的！海洋提供了一些線索，因此科學家潛往海洋探索，試圖尋找答案。

探索海洋很困難，因為深海中的水壓很巨大。

雪人蟹

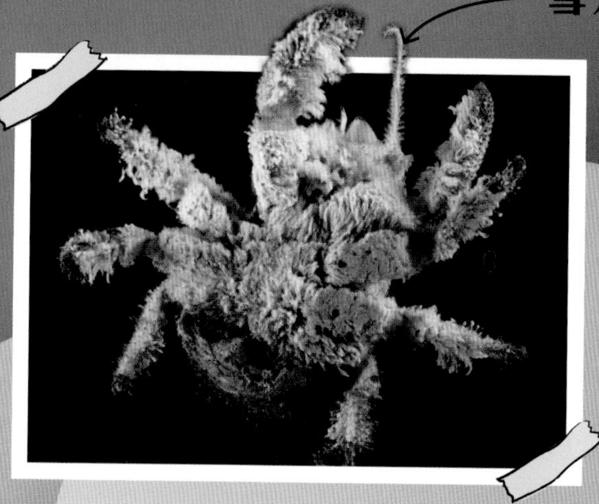

2005年，雪人蟹在太平洋被發現。

人們每天發現新的海洋生物！

未被發現的物種

海洋非常廣闊，我們難以得知**總共**有多少海洋生物。科學家推斷91%的海洋物種仍未被命名或發現。

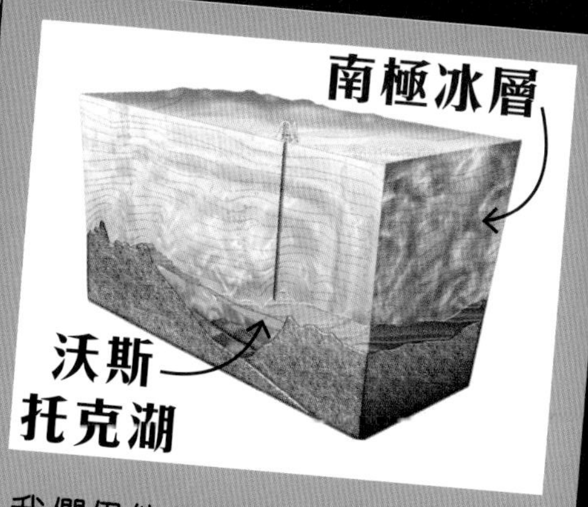

我們仍能發現新的水域。1996年，人們在南極冰層下面發現了沃斯托克湖。

中英對照索引

二畫
人造衛星 satellites 179, 186
人類的海底居所
underwater habitats for people 200-201
七鰓鰻 lampreys 65

三畫
火山 volcanoes 21, 23, 25
大王具足蟲 isopods 123
大白鯊 great white sharks 71, 137
大西洋 Atlantic Ocean 12, 14
大陸棚 continental shelf 22
大陸坡 continental slope 22
大堡礁 Great Barrier Reef 101, 191
工作 employment 202-203, 208-209
天氣 weather 19
水循環 water cycle 18-19
三葉蟲 trilobites 20, 21

四畫
化石 fossils 21, 62, 167
太平洋 Pacific Ocean 12, 14
水母 jellyfish 42-43, 114, 115, 130, 144, 150, 151, 183
月魚 opahs 65
過渡帶 twilight zone 114, 118-119

五畫
太平洋垃圾帶
Great Pacific Garbage Patch 214
遠古的海洋 ancient oceans 20-21
北冰洋 Arctic Ocean
13, 15, 80, 81, 110-111
北極 Arctic 108, 110-111
北極熊 polar bears 81, 110, 141, 212
北極燕鷗 Arctic terns 87, 141
加拉帕戈斯羣島 Galāpagos Islands
14, 24, 167, 216
生物發光 bioluminescence 150-151
半深海帶 midnight zone 115, 120-121
甲殼類動物 crustaceans 48-49
巨齒鯊 megalodon 21
石鱉 chitons 47

六畫
冰川 glaciers 17
冰山 icebergs 13, 15, 109, 203
冰魚 icefish 112
冰棚 ice shelves 108
冰蓋 ice caps 17
回音定位 echolocation 155
污染 pollution 210, 211, 214-215, 216, 217
有毒生物 toxic creatures
41, 42, 56, 57, 72, 130, 144, 146, 147
印度洋 Indian Ocean 13, 15, 34
死海 Dead Sea 16
地球上的水 water on Earth 10-11, 13, 17
全球大洋輸送帶 Global Conveyor Belt 28
休閒活動 leisure activities 196-199
企鵝 penguins 84-85, 112, 126, 199

七畫
吞拿魚 tuna fish 62-63, 119
沉船殘骸 shipwrecks 14, 107, 170-1, 190
貝殼 shells 46-47, 49, 50, 56

八畫
青口 mussels 51, 90
河口 estuaries 92
怪物 monsters 174, 175
亞特蘭蒂斯 Atlantis 175
虎鯨（殺人鯨） orcas (killer whales) 111, 141, 156
泥灘 mud flats 92, 93

九畫
美人魚 mermaids 174
信天翁 albatrosses 15, 87
洞穴和海拱 caves and sea arches
33, 188
南冰洋 Southern Ocean
13, 15
保育 conservation
190, 191, 202, 215, 216-217, 218
食物網 food webs 140-141
洋流 currents 28-29, 93
飛魚 flying fish 64
南極洲 Antarctica 15, 28, 108, 112-113
珊瑚與珊瑚礁 coral and coral reefs
15, 22, 100-103, 134, 187, 190, 206, 213
侵蝕 erosion 32-33, 104
紅樹林 mangroves 94-95
科學研究 scientific research 166-167, 176-177, 179, 180-185, 201, 202
保護色 camouflage 68, 85, 135, 148-149

十畫
射水魚 archerfish 95
海牛 manatees 97, 174
海平面上升 sea levels, rising 213
海牀 ocean floor 22-23, 181
海底山 seamounts 23, 186-187
海岸 seashores 90-91
海岸線 coastlines 32-33, 92-93
海底熱泉 hydrothermal vents
23, 176
海星 starfish 17, 44-45, 91, 146

海洋保護區 marine reserves 216
海洋爬蟲類動物 marine reptiles 20, 58-61
海雪 marine snow 118
海洋哺乳類動物 marine mammals 20, 74-81, 97, 133
海洋救援 ocean rescue 203, 204-205
海洋無脊椎動物 marine invertebrates 20, 40, 52
海洋學 oceanography 176-177, 179, 180-185, 201, 203
海浪 waves 26-27, 32-33
海草 seagrass 61, 96-97
海馬 seahorses 66-67, 96, 98
海參 sea cucumbers 45, 115, 122
海豚 dolphins 74-75, 113, 133, 153, 154-155, 156
海豹 seals 15, 82, 83, 111, 113, 133, 136, 141
海蛇 sea snakes 59, 102
海象 walruses 82
海盜 pirates 170, 172-173
海葵 sea anemones 91, 115, 134, 135
海獅 sea lions 83, 99, 127, 152
海溝 trenches 22, 115, 184-185, 190
海綿 sponges 40-41, 103, 206
海嘯 tsunamis 15, 27, 35
海龍 sea dragons 67, 68-69, 148
海龍魚 pipefish 67, 97, 127
海龜 turtles 46, 58, 60-61, 103, 116, 128-129, 131, 210, 213
海膽 sea urchins 45, 91, 99, 103, 148
海螺和海蛞蝓 sea snails and slugs 56-57, 91, 206
海獺 otters 99, 118, 131, 157
海藻 seaweed 98-99, 117, 191, 206
海藻林 kelp forests 98-99
海鷗 gulls 86
海灘假期 beach holidays 198-199
扇貝 scallops 51
透光帶 sunlight zone 114, 116-117
馬里亞納海溝 Mariana Trench 22, 184-185, 190
馬爾代夫 Maldives 15, 24, 198
氣候 climates 19, 29
氣候變化 climate change 111, 212-213, 217
氣旋 cyclones 34
浮游生物 plankton 39, 114, 118, 135, 138, 140, 142-143, 151
浮標 buoys 178
能源業 energy industry 207, 210
座頭鯨 humpback whales 77, 138-139, 145
島嶼 islands 12, 14, 15, 23, 24-25, 151, 198

十一畫

淡水 fresh water 17, 92, 221
救生艇 lifeboats 204-205
淹沒 floods 34, 213
動物溝通 communication, animal 152-153, 156
探索 exploration 160-165, 190, 191
深海平原 abyssal plain 22
深海帶 abyssal zone 115, 122-123
軟骨魚 cartilaginous fish 65
船隻與小艇 ships and boats 161, 168-169, 181, 196, 204-205, 207, 209, 211
章魚 octopuses 22, 47, 52, 53, 54-55, 103, 115, 120, 131, 146, 148, 157
鳥蛤 cockles 51
魚羣 schools and shoals 132-133
鳥類 birds 15, 84-87, 90, 93, 95, 112, 117, 126, 141, 167
魚龍 ichthyosaurs 20
魚類 fish 17, 62-73, 95, 102, 103, 112, 114, 115, 116, 117, 118, 119, 121, 123, 126, 127, 130, 132-133, 134, 135, 137, 140, 146, 147, 149, 150, 151, 152, 153
軟體動物 molluscs 50
麻鷹 eagles 86

十二畫

棘皮動物 echinoderms 45
黑皮旗魚 blue marlin 137
貿易 trade 160, 162-163, 171
硬骨魚 bony fish 64
超深海帶 hadal zone 115, 123
運動成就 sporting achievements 192-193
絲綢之路 Silk Road 162-163
無頜魚 jawless fish 65

十三畫

蜆 clams 47, 50, 51, 105
獅子魚 lionfish 103, 147, 149
塞王 sirens 175
溜冰 skates 72
腹足類動物 gastropods 56
溶坑 sinkholes 188-189
滑浪 surfing 27, 107, 193, 196, 199
資源供應與服務 supplies and services 206-207
塑膠污染 plastic pollution 214-215, 216, 217

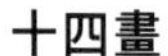

十四畫
端足類動物 amphipods 115, 149, 185
遷徙 migrations 87, 119, 136-139
魟魚 rays 65, 72, 73, 103, 146
旗魚 sailfish 130
漩渦 whirlpools 35
漁業 fishing industry 203, 208-209
銀鮫 chimaeras 73

十五畫
蝦 shrimp 49, 81, 115, 134, 135, 145, 152
潛水 diving 23, 178, 183, 185, 189, 192, 193, 197, 202
潛水器 submersibles 176-177, 185, 190
潛水艇 submarines 176-177, 185
潮汐 tides 30-31, 91, 93
魷魚 squid 52-53, 81, 113, 114, 115, 119, 183
烏賊 cuttlefish 52, 145, 148, 149
潟湖 lagoons 93
彈塗魚 mudskippers 95

十六畫
儒艮 dugongs 15, 97
獨角鯨 narwhals 80-81, 110, 141
橈足類動物 copepods 39
頭足類動物 cephalopods 52
藤壺 barnacles 49, 90, 131, 135
龍蝦 lobsters 47, 49, 136
螃蟹 crabs 14, 31, 46, 48-49, 90, 91, 94,127, 135, 219

十七畫
礁石 reefs 22, 100-107
颶風 hurricanes 14, 34
聲納 sonar 154-155, 181
鮭魚 salmon 137
磷蝦 krill 38, 49, 112, 138, 145

十八畫
翻車魚 sunfish 64, 114, 117
鯊魚 sharks 21, 65, 70-71, 98, 103, 114, 116, 137, 142, 144, 153, 191
雙殼類動物 bivalves 50-51
藍鯨 blue whales 10, 78-79
鵜鶘 pelicans 87

十九畫
瀕危動物 endangered animals 210
鮑魚 abalones 47
鯨魚 whales 10, 23, 76-81, 110, 113, 115, 127, 133, 135, 138-139, 145, 156, 210

二十畫
蠔 oysters 50, 104
鹹水 salt water 16, 17, 92, 207
鰕虎魚 goby fish 64, 134
藻華 algal blooms 143
蠕蟲 worms 39, 105, 121, 122, 185
藻類 algae 61, 134, 135, 142-143, 151

二十一畫
鰭足類動物 pinnipeds 82-83

二十二畫
鰻魚 eels 115, 136

二十四畫
鹽沼 salt marshes 93

二十五畫
鬣蜥 iguanas 14, 59

二十七畫
鑽光魚 bristlemouths 118
鱷魚 crocodiles 58, 94

鳴謝

The publisher would like to thank the following for their kind permission to reproduce their photographs:

(Key: a-above; b-below/bottom; c-centre; f-far; l-left; r-right; t-top)

1 123RF.com: lattesmile (br/fishes); Wilfred Marissen (tc). **Alamy Stock Photo:** blickwinkel / Mildenberger (cla). **Dreamstime.com:** Luna Vandoorne Vallejo / Lunavandoorne (bl); Tetiana Saranchuk (c/Seagull); Ylivdesign (br). **Shutterstock.com:** Eva Speshneva (c). **2 123RF.com:** lattesmile (br). **Alamy Stock Photo:** Brent Stephenson / Nature Picture Library (cra). **Getty Images / iStock:** GeorgePeters (crb). **naturepl.com:** Doug Perrine (tc). **3 123RF.com:** hatza (tc). **naturepl.com:** Gary Bell / Oceanwide (b). **4 Dreamstime.com:** Viacheslav Dubrovin (bl). **4-5 Alamy Stock Photo:** Norbert Probst / imageBROKER (bc). **5 123RF.com:** annaguz (bc). **Alamy Stock Photo:** Tony Wu / Nature Picture Library (tc). **6 Alamy Stock Photo:** Blue Planet Archive JCO (clb). **Dreamstime.com:** Kharlamova (bc). **6-7 123RF.com:** Prapan Ngawkeaw (b). **7 123RF.com:** vilainecrevette (cr). **Alamy Stock Photo:** Nature Picture Library (bl). **Dreamstime.com:** Kharlamova (cb). **naturepl.com:** Sue Daly (bc). **8 Alamy Stock Photo:** Brent Stephenson / Nature Picture Library (tl). **Dreamstime.com:** Kharlamova (c, br); Alexey Martynov (ca); Ponomarevaekaterina2015 (cb). **9 Shutterstock.com:** zabavina (ca). **10 Dreamstime.com:** Ponomarevaekaterina2015 (bc); Cat Vec (bl). **10-11 123RF.com:** 1xpert. **12 123RF.com:** Liliia Khuzhakhmetova / lilkin (ca, cra, bc); macrovector (cr). **Dreamstime.com:** Ernest Akayeu (c/surfing); Luciano Mortula (c); Olga Samorodova (c/Cartoon). **13 123RF.com:** Liliia Khuzhakhmetova / lilkin (c/cargo, cr, clb/cargo, cb/cargo); macrovector (cl/cartoon). **Dreamstime.com:** Ernest Akayeu (clb); Jemastock (cla); Rimma Z (ca); Dzianis Martynenka (cl); Antoniosantosg (c); Godruma (cb). **14 123RF.com:** Alhovik (c). **Dreamstime.com:** Sabelskaya (bc); Michael Zysman (tc/Iguana). **naturepl.com:** Solvin Zankl (cr). **Shutterstock.com:** 6x6x6 (tc); zabavina (bl). **15 Alamy Stock Photo:** Brent Stephenson / Nature Picture Library (cr). **Dreamstime.com:** Christopher Wood / Chriswood44 (tl); Mutabor5 (cla). **Shutterstock.com:** 6x6x6 (bc); Voropaev Vasiliy (c). **16 Dreamstime.com:** Borlili (clb). **18 Dreamstime.com:** Kenm (bl); Melonstone (cb). **18-19 123RF.com:** (t). **19 123RF.com:** bakai (clb); Mark Bowden (cb); mihtiander (cr). **Dreamstime.com:** Janos Gaspar (clb/Girl). **20 Dreamstime.com:** Daniel Eskridge (br); William Roberts (bl). **21 Dreamstime.com:** Mark Turner (bc). **22 123RF.com:** annaguz (ca). **Dreamstime.com:** John Anderson (cb); Kharlamova (cr); Microvone (clb, bc). **23 123RF.com:** annaguz (ca). **Alamy Stock Photo:** FB-Fischer / imageBROKER (tl); Jaime Franch Travel Photo (cr). **Dreamstime.com:** Artur Balytskyi (bl); Jacklooser (cb); Kharlamova (tc); Ylivdesign (br). **Science Photo Library:** Georgette Douwma (tc/Deep sea vents). **Shutterstock.com:** Eduard Radu (c). **24 123RF.com:** Robert McIntyre (cr). **Shutterstock.com:** Yongyut Kumsri (cl). **24-25 123RF.com:** lattesmile (b); Prapan Ngawkeaw (b/Sand). **25 123RF.com:** epicstockmedia (cr). **Alamy Stock Photo:** David Fleetham (tr); Richard Cummins / robertharding (clb). **Shutterstock.com:** Eva Speshneva (c). **26 Alamy Stock Photo:** Ann Cutting (cb); Michael David Murphy (cb/port). **Shutterstock.com:** pimpisan02 (crb). **26-27 123RF.com:** Prapan Ngawkeaw (cb). **27 Alamy Stock Photo:** Grant Taylor (tl). **Dreamstime.com:** Yuliya Rudenko (br). **28-29 123RF.com:** Evgeni Bobrov (b). **29 123RF.com:** Liliia Khuzhakhmetova / lilkin (ca). **Alamy Stock Photo:** UrbanLife / Stockimo (tr). **30-31 123RF.com:** annaguz (b). **Dreamstime.com:** Astrofireball; Cornelius20 (ca); Vaclav Volrab (c); Microvone (b/Seaweeds); Alison Gibson (b/Line). **31 123RF.com:** annaguz (ca). **32 Alamy Stock Photo:** John Richmond (bc). **Dreamstime.com:** 64samcorp (tl, tr); Anna Cinaroglu (br). **33 123RF.com:** Ruslan Nassyrov (bc). **Alamy Stock Photo:** James Osmond Photography (bl); Michael Pitts / Nature Picture Library (tr). **Dreamstime.com:** Alisali (cla/chalk); Lehuishi (cla); Carafoto (tc); Nataliia Velishchuk (cra). **34 123RF.com:** Alhovik (tr). **Dreamstime.com:** Lavizzara (cl). **34-35 123RF.com:** Eero Oskari Porkka (c). **35 Alamy Stock Photo:** Olaf Krüger / imageBROKER (cla). **Dreamstime.com:** Andrey Armyagov (bl); Paul Topp / Nalukai (cr). **36-37 naturepl.com:** Doug Perrine (ca). **Shutterstock.com:** zabavina (t). **36 123RF.com:** lattesmile (c). **Dreamstime.com:** John Anderson (cb); Dongfan Wang / Tabgac (cr). **naturepl.com:** Gary Bell / Oceanwide (bc). **37 Alamy Stock Photo:** Reinhard Dirscherl (bl). **Dreamstime.com:** Kotomiti_okuma (c). **38 123RF.com:** Richard Whitcombe / whitcomberd (b). **Alamy Stock Photo:** Science History Images (cra). **Dorling Kindersley:** Natural History Museum, London (clb). **39 Alamy Stock Photo:** Solvin Zankl / mauritius images GmbH (cla); Andrey Nekrasov / imageBROKER; Paul R. Sterry / Nature Photographers Ltd (br). **40 Alamy Stock Photo:** Norbert Probst / imageBROKER (cr). **Dreamstime.com:** John Anderson (cl). **40-41 123RF.com:** Vadym Kurgak. **Dreamstime.com:** Pavel Naumov (tc); Seadam (b). **41 Alamy Stock Photo:** lcrms (tc). **naturepl.com:** David Shale (tr). **42 Science Photo Library:** Kelvin Aitken, VW Pics (r). **43 Alamy Stock Photo:** Everett Collection Historical (br); Tony Wu / Nature Picture Library (cb). **Dreamstime.com**: Showvector (bl). **naturepl.com:** Brandon Cole (clb); Nick Hawkins (tl); Alex Mustard (tr); Magnus Lundgren (crb). **Science Photo Library:** M.P. O'Neill (cb/Cannonball Jellyfish). **44 Dreamstime.com:** Elisei Shafer (clb). **45 Alamy Stock Photo:** blickwinkel / F. Hecker (cla); Sue Daly / Nature Picture Library (tc). **46 Dreamstime.com:** Shane Myers (br). **47 123RF.com:** Iuliia Grebeniukova / SolntseRA (cb). **Dreamstime.com**: Jianghongyan (clb). **48 Dreamstime.com:** Liliia Khuzhakhmetova / lilkin (cra). **48-49 Alamy Stock Photo:** WaterFrame (c). **49 123RF.com:** natchapohn (bc). **Alamy Stock Photo:** Xinhua (c). **Dorling Kindersley:** Natural History Museum, London (br). **50 Dreamstime.com:** Jianghongyan (cla); Valentyn75 (crb). **50-51 Dreamstime.com:** Allexxandar. **51 123RF.com:** Hans Geel (ca). **Dorling Kindersley:** Natural History Museum, London (cla). **Dreamstime.com:** Ethan Daniels (br); Yodsawaj Suriyasirisin (bl). **52 123RF.com:** annaguz (tr). **Dreamstime.com:** Skypixel (crb). **naturepl.com:** Doug Perrine (tl); David Shale (br). **52-53 Dreamstime.com:** Blueringmedia. **53 Alamy Stock Photo:** Mark Conlin (tl). **Shutterstock.com:** Sunnydream (cb). **54-55 Dreamstime.com:** Seadam (t). **naturepl.com:** Sue Daly. **55 Alamy Stock Photo:** Jeff Rotman / Nature Picture Library (tl). **Dreamstime.com:** Aleaders (cr). **naturepl.com:** Brandon Cole (bl). **56 Alamy Stock Photo:** David Massemin / Biosphoto (crb); blickwinkel / Mildenberger (cb). **Science Photo Library:** Alexander Semenov (cr). **56-57 Dreamstime.com:** Seadam. **57 naturepl.com:** Pascal Kobeh (cra); Doug Perrine (clb). **Shutterstock.com:** unterwegs (crb). **58 Alamy Stock Photo:** Anup Shah / Nature Picture Library (bl). **Dorling Kindersley:** Natural History Museum, London (cla). **Dreamstime.com:** Cmeili87 (cr). **Getty Images / iStock:** danilovi (crb). **59 Alamy Stock Photo:** Reinhard Dirscherl (cl, br); Doug Perrine (bl). **Dreamstime.com:** Donyanedomam (cra). **60 Dreamstime.com:** Fireflamenco (bl, br). **60-61 naturepl.com:** Pete Oxford. **61 123RF.com:** lattesmile (c, clb). **Dreamstime.com:** Viacheslav Dubrovin (cr); Fireflamenco (bl). **Getty Images:** M.M. Sweet (tl). **naturepl.com:** Doug Perrine (ca). **62 Dorling Kindersley:** Natural History Museum (bl). **62-63 Dreamstime.com:** Lunamarina. **64 Dreamstime.com:** Alexey Martynov (tr). **Shutterstock.com:** Good luck images (cra); Kaschibo (bl); MyImages - Micha (br). **64-65 Dreamstime.com:** Andreykuzmin. **65 Dreamstime.com:** Alexey Martynov (tc); Dongfan Wang / Tabgac (cla); Iryna Verhelesova (cb). **naturepl.com:** Ralph Pace (bl). **Shutterstock.com:** Gena Melendrez (cr); Vovantarakan (cb/lamprey river). **67 Alamy Stock Photo:** Alex Mustard / Nature Picture Library (cla). **naturepl.com:** Franco Banfi (cra); Tony Wu (crb). **68-69 Dreamstime.com:** Andreykuzmin. **68 naturepl.com:** Norbert Wu (br). **69 naturepl.com:** Gary Bell / Oceanwide (c). **70 Alamy Stock Photo:** Marty Snyderman / Stephen Frink Collection (br). **Dreamstime.com:** Vladvitek (clb). **71 Alamy Stock Photo:** Blue Planet Archive JMI (clb). **Dorling Kindersley:** Natural History Museum (cr). **72-73 123RF.com:** Olga Khoroshunova (t). **72 Alamy Stock Photo:** Blickwinkel / F. Hecker (bc); Reinhard Dirscherl (cra); Wildlife Gmbh (c). **73 Alamy Stock Photo:** Josef Beck / imageBROKER (ca); Michael Wood / Stocktrek Images (bl). **FLPA:** Norbert Wu / Minden Pictures (crb). **74 Dreamstime.com:** Kharlamova (bl). **74-75 Alamy Stock Photo:** Martin Strmiska. **75 123RF.com:** Willyambradberry (br). **Dreamstime.com:** Blue Ring Education Pte Ltd (cra). **Science Photo Library:** Christopher Swann (tl). **Shutterstock.com:** Eva Speshneva (ca). **76 123RF.com:** Witold Kaszkin (tl). **Alamy Stock Photo:** WaterFrame_fba (cb). **Dreamstime.com:** Luna Vandoorne Vallejo / Lunavandoorne (clb); Nataliia Velishchuk (crb). **77 Alamy Stock Photo:** Andrey Nekrasov / imageBROKER (cb). **naturepl.com:** Martin Camm / Carwardine (bc); Doug Perrine (tc). **78 Alamy Stock Photo:** Jean-Paul Ferrero / AUSCAPE / Auscape International Pty Ltd (clb). **78-79 Alamy Stock Photo:** Franco Banfi / Nature Picture Library (c). **79 Alamy Stock Photo:** Mark Carwardine / Nature Picture Library (tl). **80-81 Alamy Stock Photo:** Dotted Zebra. **81 123RF.com:** alfadanz (crb, b); natchapohn (cr). **Dreamstime.com:** Planetfelicity (cla). **82 Dreamstime.com:** Vladimir Melnik / Zanskar (cra). **Fotolia:** Vladimir Melnik (br). **83 Alamy Stock Photo:** Sylvain Cordier / Biosphoto (cr). **Getty Images / iStock:** pum_eva (cra); slowmotiongli (b); Michael Zeigler (ca). **84-85 Dorling Kindersley:** Frank Greenaway (c, bc). **Dreamstime.com:** Leonello Calvetti / Leocalvett. **85 Dreamstime.com:** Rizikpic (bl); Willtu (ca). **Getty Images:** Fuse (cra). **86 Alamy Stock Photo:** Andy Trowbridge / Nature Picture Library (bc). **Dreamstime.com:** Donyanedomam (cl). **Shutterstock.com:** zabavina (cra). **87 123RF.com:** Wilfred Marissen (br). **Alamy Stock Photo:** Tui De Roy / Nature Picture Library (t); Brent Stephenson / Nature Picture Library (cb). **Shutterstock.com:** zabavina (bl). **88 123RF.com:** natchapohn (clb). **Dreamstime.com:** Alexander Shalamov / Alexshalamov (cl); Vectorikart (bl); Denis Dubrovin / Denisdubrovin (tr); Izanbar (cr). **88-89 Dreamstime.com:** Allexxandar. **89 Getty Images / iStock:** Grafner (b). **naturepl.com:** Flip Nicklin (cra). **90-91 123RF.com:** Prapan Ngawkeaw (b). **90 123RF.com:** Roman kalnenko (bc). **Alamy Stock Photo:** Gregory Gard (c). **Dreamstime.com:** Andreistanescu (clb); Donyanedomam (tr); Frank Fichtmueller (cla); Rafal Stachura (cb); Callum Redgrave Close (bl). **91 Alamy Stock Photo:** Melba Photo Agency (cb/sea star); Nature Picture Library (clb). **Getty Images / iStock:** clintscholz (cr). **naturepl.com:** Flip Nicklin (cl); Kirkendall-Spring (cb); Jeff Rotman (crb). **Science Photo Library:** Simon Fraser (tl). **92 123RF.com:** lynxtime (tc). **Alamy Stock Photo:** James Osmond (bl). **93 Alamy Stock Photo:** Mark van Veen / Buiten-Beeld (cl); Clarence Holmes Wildlife (c); De Meester Johan / Arterra Picture Library (bl); Ernie Janes (bl/Marshes). **Dreamstime.com:** Supertrooper / alex (fbl); Javarman (br). **94 123RF.com:** Engdao Wichitpunya (b). **94-95 Dreamstime.com:** Seadam. **95 123RF.com:** feathercollector (ca). **Alamy Stock Photo:** Jurgen Freund / Nature Picture Library (tr). **Dreamstime.com:** Leung Cho Pan / Leungchopan (bl). **96 Dreamstime.com:** Vectorikart (br). **96-97 Alamy Stock Photo:** Stephen Frink / Stephen Frink Collection (ca). **Dreamstime.com:** Vladimir Surkov / Surkov_vladimir (t). **97 Alamy Stock Photo:** Blue Planet Archive JCO (t); Francis Abbott / Nature Picture Library (bc); Frank Hecker (br). **Dreamstime.com:** Seadam (cl). **98-99 naturepl.com:** Flip Nicklin. **99 Dreamstime.com:** Izanbar (c). **naturepl.com:** Suzi Eszterhas (br); Ralph Pace (tr). **100-101 Dreamstime.com:** Seadam (cb). **100 Alamy Stock Photo:** Howard Chew (bl). **Dreamstime.com:** Jemma Craig (clb). **101 Dreamstime.com:** Deborah Coles (br); Ten Theeralerttham / rawangtak (crb); Wirestock (clb). **Getty Images:** Daniel Osterkamp (cr). **102 123RF.com:** Olga Khoroshunova / goodolga (bc). **Dorling Kindersley:** Linda Pitkin (bc/flatworm, bc/Feather star). **Dreamstime.com:** Jeremy Brown (br); Mrhanson (cla). **Getty Images / iStock:** vlad61 (l). **103 Dorling Kindersley:** Jerry Young (cla, cb). **Dreamstime.com:** Alexander Shalamov / Alexshalamov (cra); Kevin Panizza / Kpanizza (cr); Petr Zamecnik (bc). **Getty Images / iStock:** Ultramarinfoto (br). **104-105 Getty Images / iStock:** RomoloTavani. **104 Alamy Stock Photo:** Norbert Probst / imageBROKER (bl). **Getty Images / iStock:** PongMoji (cr). **105 Alamy Stock Photo:** Marevision / agefotostock (bl); J.W.Alker / imageBROKER (ca). **Dreamstime.com:** Seadam (cr). **106 123RF.com:** lynxtime (cra). **Alamy Stock Photo:** Joseph C. Dovala / agefotostock (b); Paulo Oliveira (cr). **107 Alamy Stock Photo:** Helmut Corneli (b); Jeff Milisen (cr). **FLPA:** Imagebroker,Helmut Corneli / Imagebroker (bl). **108 naturepl.com:** Bryan and Cherry Alexander (br). **109 123RF.com:** Michal Balada (crb); Sergeyp (tl/Texture). **Alamy Stock Photo:** Diana Johanna Velasquez (bc). **Dreamstime.com:** Adeliepenguin (br); Checco (cr). **naturepl.com:** Norbert Wu (cl). **Shutterstock.com:** NiarKrad (cra); zabavina (tl). **110 123RF.com:** Eric Isselee / isselee (cr). **110-111 Dorling Kindersley:** Jerry Young (c). **111 Dreamstime.com:** Eric Isselée / Isselee (c). **Getty Images:** Purestock (crb). **Getty Images / iStock:** twphotos (cra). **112 123RF.com:** natchapohn (bl). **Alamy Stock Photo:** Oceans Image / Avalon.red (bl/Antarctic krill); Paulo Oliveira (crb). **Dreamstime.com:** Kotomiti_okuma (fcl); Jan Martin Will (cl); Tarpan (cr). **113 Alamy Stock Photo:** David Tipling / David Tipling Photo Library (cla); Marko Steffensen (clb). **Dreamstime.com:** Denis Dubrovin / Denisdubrovin (ca); Tarpan (cr). **114 123RF.com:** Pavlo Vakhrushev / vapi (ca). **Alamy Stock Photo:** David Shale / Nature Picture Library (cr, fcr). **Dreamstime.com:** Shane Myers (bl); Neirfy (cla); Cat Vec (cb).

naturepl.com: Florian Graner (crb); Solvin Zankl (cra). **Shutterstock.com:** MyImages - Micha (c). **114-115 Alamy Stock Photo:** Wolfgang Pölzer (bc). **115 Alamy Stock Photo:** Ethan Daniels (cb/sea pen); NOAA (ca); David Shale / Nature Picture Library (cb, c/Sea cucumber). **naturepl.com:** Gary Bell / Oceanwide (cla); Doc White (cla/Pelican); David Shale (ca/Viperfish); Norbert Wu (c). **Science Photo Library:** British Antarctic Survey (cr); Dante Fenolio (ca/Shrimp, cb/Tripod Fish); Wim Van Egmond (cra); David Shale / Nature Picture Library (cr/anthomedusa, fcr). **116 Dreamstime.com:** Wrangel (bl). **116-117 123RF.com:** Ihor Bondarenko (c/Green algae). **Dreamstime.com:** Sabri Deniz Kizil / Bogalo; Martin Voeller (c). **117 123RF.com:** Micha Klootwijk / michaklootwijk (cr). **Alamy Stock Photo:** Mathieu Foulquie / Biosphoto (cla/Sargassum); Wildestanimal (cl); WaterFrame_dpr (br). **Dreamstime.com:** Vectorikart (cla). **118-119 Dreamstime.com:** Sabri Deniz Kizil / Bogalo. **118 Alamy Stock Photo:** BJ Warnick / Newscom (c); Paulo Oliveira (bl). **Dreamstime.com:** Vectorikart (crb). **119 Alamy Stock Photo:** David Fleetham (ca); Paulo Oliveira (cra); David Shale / Nature Picture Library (cla). **Dreamstime.com:** Igor Zubkov (tc, cr, b); Zweizug (cb). **120-121 Getty Images / iStock:** PawelG Photo (t). **120 Alamy Stock Photo:** Buena Vista Pictures / Courtesy Everett Collection. **121 Alamy Stock Photo:** Paulo Oliveira (ca, cb). **naturepl.com:** Norbert Wu (c). **122-123 Dreamstime.com:** Vultur Dana Mihaela (c). **122 Alamy Stock Photo:** David Shale / Nature Picture Library (bc); The Natural History Museum (clb). **Dreamstime.com:** Greg Amptman (cr). **123 Alamy Stock Photo:** Mathieu Foulquie / Biosphoto (tl); BJ Warnick / Newscom (c); Ethan Daniels (cb). **Dreamstime.com:** Greg Amptman (bl); Selvam Raghupathy (r/background). **Science Photo Library:** British Antarctic Survey (r). **124 Getty Images:** Alastair Pollock Photography (tc). **Science Photo Library:** Christopher Swann (b). **125 123RF.com:** natchapohn (br). Alamy Stock Photo: Zoonar / Fritz Poelking (cra). **126 Alamy Stock Photo:** Brook Peterson / Stocktrek Images (cl); Zoonar / Fritz Poelking (cr). **127 Alamy Stock Photo:** Gerard Lacz / mauritius images GmbH (tl); Reinhard Dirscherl / mauritius images GmbH (tr). **Dreamstime.com:** Rinus Baak (br); Josephine Julian Lobijin (bl). **128 Dreamstime.com:** Simon Eeman (br); Ymgerman (bl). **129 Alamy Stock Photo:** Ahmed Areef (tr); Zoonar / Simon Eeman (clb). **Dreamstime.com:** Jakub Gojda (br). **naturepl.com:** Fabrice Cahez (tl); Pete Oxford (tl/beach); Phil Chapman (cra). **130 Alamy Stock Photo:** Brandon Cole Marine Photography (tr). **130-131 Dorling Kindersley:** Jerry Young (Neon tetras). **Getty Images:** Alastair Pollock Photography (c). **131 123RF.com:** Nicholas Toh (cr); vilainecrevette. **Alamy Stock Photo:** blickwinkel / H. Schmidbauer (ca). **Dreamstime.com:** Hotshotsworldwide (tc); Shane Myers (fbr). **Photolibrary:** Photodisc / White (br). **132-133 Dreamstime.com:** Zoom-zoom (t). **Science Photo Library:** Christopher Swann (b). **132 Alamy Stock Photo:** Jurgen Freund / Nature Picture Library (cl). **133 Science Photo Library:** Richard Brooks (c); Christopher Swann (cr). **134 Dreamstime.com:** Song Heming (bc). **135 123RF.com:** natchapohn (ca). **Dreamstime.com:** Iakov Filimonov (br); Mikhail Laptev (bl); Teguh Tirtaputra / Teguhtirta (cb); Piyathep (c). **Getty Images / iStock:** tiler84 (cla). **136 Dreamstime.com:** Fototrips (bl). **137 123RF.com:** Prapan Ngawkeaw (bl/Sand). **Dreamstime.com:** Jameschipper (tr); Mikhail Sokolov (crb). **Getty Images / iStock:** GeorgePeters (c). **Shutterstock.com:** George J (bl); Atomic Roderick (br). **138 Dreamstime.com:** Alevtina Tarasova (tc). **Shutterstock.com:** Davidhoffmann Photography (cl); Napat (bc). **139 Alamy Stock Photo:** Tony Wu / Nature Picture Library (cb). **Dreamstime.com:** Alevtina Tarasova (tl, cla, cra). **Shutterstock.com:** 6x6x6 (tr). **140 Alamy Stock Photo:** Blickwinkel / Hartl (cra); WaterFrame_fba (cr). **Getty Images / iStock:** Tonaquatic (clb, cb). **141 123RF.com:** Roy Longmuir / Brochman (cla). **Alamy Stock Photo:** Andrey Nekrasov (cl). **Dreamstime.com:** Linda Bucklin (bl); Sergey Uryadnikov / Surz01 (cra). **142 Dreamstime.com:** R. Gino Santa Maria / Shutterfree,LLC / Ginosphotos / Shutterfree,Llc (cl); Vectorikart (br). **142-143 Alamy Stock Photo:** NASA Photo (b); sheris (c). **143 Alamy Stock Photo:** Scenics & Science (ca). **144 123RF.com:** annaguz (bc). **Dreamstime.com:** Showvector (crb). **naturepl.com:** Gary Bell / Oceanwide (clb). **Shutterstock.com:** wildestanimal (cla). **144-145 Dreamstime.com:** Allexxandar. **145 Alamy Stock Photo:** Genevieve Vallee (clb). **Dreamstime.com:** Showvector (tl). **Science Photo Library:** Reinhard Dirscherl (t). **Shutterstock.com:** Gerald Robert Fischer (cb). **146 Alamy Stock Photo:** Matthew Banks (clb). **Dreamstime.com:** Kharlamova (bl). **naturepl.com:** Sue Daly (br). **Shutterstock.com:** Richard Whitcombe (cr). **147 Dreamstime.com:** Allnaturalbeth (c); Galinasavina (crb). **Shutterstock.com:** Alexandra HB (tc). **148 123RF.com:** kwiktor (crb). **naturepl.com:** Peter Scoones (cl). **Science Photo Library:** Georgette Douwma (clb); Andrew J. Martinez (cr). **149 123RF.com:** Richard Whitcombe (clb). **Alamy Stock Photo:** Nico van Kappel / Buiten-Beeld (crb). **Dreamstime.com:** Kjersti Joergensen. **150 123RF.com:** Rueangrit Srisuk (br). **Alamy Stock Photo:** WaterFrame_ase (r). **151 Alamy Stock Photo:** Paulo Oliveira (crb); Scenics & Science (cra); Solvin Zankl (clb). **Getty Images / iStock:** LPETTET (bc); PawelG Photo (t); RugliG (cla). **152 123RF.com:** Eric Isselee / isselee (bc/clownfish). **Dreamstime.com:** Michael Elliott (bl); Lightkitegirl (bc). **153 Alamy Stock Photo:** Norbert Probst / imageBROKER (crb); Don Mammoser (tl); Jennifer Idol / Stocktrek Images (bl). **Dreamstime.com:** Nikolai Sorokin (br). **154 Dreamstime.com:** Zweizug (tr). **154-155 123RF.com:** Prapan Ngawkeaw (b). **Dreamstime.com:** Pavel Naumov. **155 123RF.com:** hatza (fbl). **naturepl.com:** Sue Daly (bl). **156 Dreamstime.com:** Punnawich Limparungpatanakij (bl). **Shutterstock.com:** Inkley Studio (cla). **157 Dreamstime.com:** Gmm2000 (r). **Science Photo Library:** Thomas & Pat Leeson (bc). **158 123RF.com:** macrovector (c/cartoon). **Alamy Stock Photo:** Chronicle (crb). **Dreamstime.com:** Patrick Guenette (cb); Dave Jones / Lina Sipelyte (tl); Tomacco (cla). **Fotolia:** Dariusz Kopestynski (c). **Shutterstock.com:** Eva Speshneva (cl). **159 Dreamstime.com:** Ratz Attila (cla); Subbotina (bc/Sand). **Shutterstock.com:** Marish (bc). **160 Alamy Stock Photo:** INTERFOTO (cb). **Dorling Kindersley:** University of Pennsylvania Museum of Archaeology and Anthropology (bl). **161 Alamy Stock Photo:** Roy Langstaff (bc). **Dorling Kindersley:** Pitt Rivers Museum, University of Oxford (br). **Dreamstime.com:** Ivansmuk (cra). **162-163 Dreamstime.com:** Vyychan (Background). **162 Alamy Stock Photo:** Doug Houghton (fcl); van der Meer Marica / Arterra Picture Library (br). **Dreamstime.com:** Bjorn Hovdal (clb); Rodho (tr, cb); Joingate (cra); Igor Nikolayev (c); Volodymyr Pishchanyi (fcl/silver bars); Andrew Unangst (cl). **163 123RF.com:** macrovector (clb/cartoon). **Alamy Stock Photo:** Granger Historical Picture Archive (cr). **Dreamstime.com:** Chokchai Namthip (clb); Igor Nikolayev (ca, cl); Rodho (cb); Serezniy (br). **Fotolia:** Dariusz Kopestynski (cb/ship). **164 Alamy Stock Photo:** Ancient Art and Architecture (br); Alexandre Fagundes (cl); Artokoloro (bc). **Dreamstime.com:** Arsty (tl); Janusz Pieńkowski (c). **Shutterstock.com:** Studio_G (cr). **165 Alamy Stock Photo:** Chronicle (clb); Lebrecht Music & Arts (tr); Colport (cr); Interfoto / Personalities (crb). **Dreamstime.com:** Naci Yavuz (cla). **166 Alamy Stock Photo:** Prisma Archivo (br). **Dreamstime.com:** Isselee (fcl); Subbotina (cl/Sand). **Getty Images / iStock:** mccluremr (cl). **166-167 Dreamstime.com:** Subbotina (ca). **167 Alamy Stock Photo:** The Natural History Museum (tr). **Dreamstime.com:** Subbotina (br). **Getty Images / iStock:** Grafissimo (c). **168 Alamy Stock Photo:** Chronicle (cr). **Dreamstime.com:** Patrick Guenette (cb). **169 Alamy Stock Photo:** Chronicle (tl); Rob Powell (cr). **Shutterstock.com:** Eva Speshneva (ca). **170-171 123RF.com:** Sergey Oganesov / ensiferum (t). **Getty Images / iStock:** Extreme-Photographer (c). **170 123RF.com:** Anton Lunkov / antonlunkov (bl). **171 Alamy Stock Photo:** Imaginechina Limited (bl); Pictures Now (cr). **172 123RF.com:** Eric Isselee (bl). **Dreamstime.com:** Tomacco (cl). **Shutterstock.com:** Marish (crb). **173 Alamy Stock Photo:** IanDagnall Computing (bl). **Dreamstime.com:** Andreykuzmin (b); Ratz Attila (tc). **Shutterstock.com:** Marish (cb). **174 Alamy Stock Photo:** Historic Collection (cb); Louise Murray (cr). **175 Alamy Stock Photo:** AF Fotografie (cra); Lebrecht Music & Arts (cb). **Bridgeman Images:** (cla). **177 Alamy Stock Photo:** ITAR-TASS News Agency (cr); PJF Military Collection (cb); ZUMA Press, Inc. (br). **Dreamstime.com:** Attila Jandi (tl). **178 123RF.com:** Pawe? Szczepa?ski / pablo1960 (c). **Alamy Stock Photo:** ICP / incamerastock (b). **179 123RF.com:** Kittipong Jirasukhanont (tc). **Dreamstime.com:** Andrea Crisante / Homeworks255 (cr). **FLPA:** Flip Nicklin (cl). **Getty Images / iStock:** JackF (br). **180 123RF.com:** annaguz (clb, cb). **Dorling Kindersley:** Natural History Museum, London (cr). **Science Photo Library:** Natural History Museum, London (c, crb). **180-181 Dreamstime.com:** Alison Gibson. **181 123RF.com:** annaguz (bl). **Alamy Stock Photo:** Granger Historical Picture Archive (clb); Fraser Gray (cra). **Dreamstime.com:** Jose Tejo / Joetex1 (bc). **Science Photo Library:** (tc). **182 Alamy Stock Photo:** Artokoloro (cra); incamerastock (tc); World History Archive (cb); Jane Gould (bc). **Dreamstime.com:** Alexstar (tr). **183 Alamy Stock Photo:** Artmedia (cb); Actep Burstov (tl); Chronicle (cr, br, tr). **Dorling Kindersley:** NASA: Earth Observatory / NOAA (ca). **184-185 Getty Images / iStock:** ratpack223 (t, b). **184 Dreamstime.com:** Selvam Raghupathy (t); Anatoli Styf (c). **185 Alamy Stock Photo:** BNA Photographic (tc); Horia Bogdan (tr); Paul R. Sterry / Nature Photographers Ltd (cra). **186 NOAA:** (tr). **187 Alamy Stock Photo:** World History Archive (br). **188 Alamy Stock Photo:** Stuart F. Westmorland / Danita Delimont. **189 123RF.com:** pinipin (crb). **Dorling Kindersley:** Linda Pitkin (cr). **Dreamstime.com:** BY (bc); Jolanta Wojcicka (cra). **Getty Images / iStock:** ratpack223 (fcr). **190 Alamy Stock Photo:** Everett Collection Inc (cb); NASA Photo (c). **Dreamstime.com:** Andreykuzmin (cl, br); Tetiana Kozachok (tl); Fotofjodor (crb). **Getty Images / iStock:** marrio31 (fbl). **191 Alamy Stock Photo:** Pictorial Press Ltd (tc); Universal Art Archive (cl). **Dreamstime.com:** Andreykuzmin (tr, c); Fotofjodor (bc). **Getty Images / iStock:** CoreyFord (cb). **192 Alamy Stock Photo:** Gareth Fuller / PA Images (bc). **193 Alamy Stock Photo:** Sergio Moraes / Reuters (bc); Adrian Sherratt (c); UPI Photo / Terry Schmitt (br). **Dreamstime.com:** Juri Samsonov (cr). **Getty Images:** Shaun Botterill (bl). **194-195 Dreamstime.com:** Cornelius20; Alison Gibson (b). **194 123RF.com:** lattesmile (clb); Liliia Khuzhakhmetova / lilkin (ca). **Alamy Stock Photo:** Paulo Oliveira (br). **Dreamstime.com:** Tetiana Saranchuk (crb); Trondur (tl). **195 123RF.com:** lattesmile (bl); Oleg Zhukov (tl). **Alamy Stock Photo:** Dino Fracchia (cr); Paulo Oliveira (br). **Dreamstime.com:** Denis Dubrovin / Denisdubrovin (c); Ken Backer / Sunguy (ca). **Getty Images / iStock:** photo5963 (tc). **196 123RF.com:** Oleg Zhukov (c). **197 Dreamstime.com:** Seadam (r). **198 123RF.com:** Gerold Grotelueschen (bc). **Dreamstime.com:** Kharlamova (br); Evgenii Naumov (cl, tr); Tomas Marek (cr). **198-199 123RF.com:** teodora1. **199 123RF.com:** martm (br); Sergei Uriadnikov (clb). **Alamy Stock Photo:** Nikki Bingham (crb); PREVOST Vincent / hemis.fr (tl). **Dreamstime.com:** Kharlamova (ca); Sean Pavone (cra); Evgenii Naumov (bc). **200-201 Dreamstime.com:** Photoeuphoria (t). **200 Alamy Stock Photo:** Claudio Contreras / Nature Picture Library (bl); Paul Abbitt Rml (br). **201 Alamy Stock Photo:** DPA Picture Alliance (clb); Dino Fracchia (tr); Stephen Frink Collection (br). **202 Dreamstime.com:** Dmitriy Melnikov / Dgm007 (bc); Trondur (cra). **203 123RF.com:** Liliia Khuzhakhmetova / lilkin (ca); Natalia Romanova (cla). **Dorling Kindersley:** Vikings of Middle England (c). **Dreamstime.com:** Ken Backer / Sunguy (cra). **204 Dreamstime.com:** Denis Dubrovin / Denisdubrovin (ca, clb, bc); Chun Guo (bl); David Morton (crb); Excentro (crb/Ribbon). **204-205 Dreamstime.com:** Cornelius20; Denis Dubrovin / Denisdubrovin (bc). **205 123RF.com:** salamatik (bc). **Dreamstime.com:** Denis Dubrovin / Denisdubrovin (ca); Pe3ak (br). **206 123RF.com:** Liliia Khuzhakhmetova / lilkin (cra). **Dorling Kindersley:** Natural History Museum, London (bc). **207 123RF.com:** Liliia Khuzhakhmetova / lilkin (c). **Dreamstime.com:** Vectorikart (bc). **Getty Images / iStock:** photo5963 (cl). **208-209 Dreamstime.com:** Alison Gibson (c). **208 Dreamstime.com:** Christopher Elwell (bl). **209 123RF.com:** Liliia Khuzhakhmetova / lilkin (ca). **210 Alamy Stock Photo:** Chronicle (cb). **Dorling Kindersley:** Natural History Museum, London (cl); Jerry Young (crb). **210-211 Dreamstime.com:** Cristina Bernhardsen (b). **211 Dorling Kindersley:** Linda Pitkin (clb/parrotfish); Jerry Young (cb). **Dreamstime.com:** Hadot (clb). **Getty Images / iStock:** cmturkmen (tr); Nerthuz (tc). **212 Alamy Stock Photo:** Wayne Lynch / All Canada Photos (br). **Dreamstime.com:** Elantsev (bl). **212-213 123RF.com:** (sky); Sergey Nivens / nexusplexus (t). **213 123RF.com:** Anna Zakharchenko (cra). **Alamy Stock Photo:** Pascal Kobeh / Nature Picture Library (tl). **Dreamstime.com:** Hadot (cra/turtle); Melvinlee (br). **Getty Images / iStock:** NatureNow (clb). **214-215 Alamy Stock Photo:** Paulo Oliveira (ca). **naturepl.com:** Gary Bell / Oceanwide (c). **214 123RF.com:** lattesmile (crb). **Alamy Stock Photo:** Paulo Oliveira (bl). **215 Alamy Stock Photo:** Iain Masterton (tr). **Dreamstime.com:** Viacheslav Dubrovin (c); Tetiana Saranchuk (tc). **216 Dreamstime.com:** Viacheslav Dubrovin (cr/Sea turtle); Kharlamova (br). **naturepl.com:** Shane Gross (cra); Pete Oxford (cr). **216-217 123RF.com:** Volodymyr Golubyev (bc); meseberg; lattesmile (c). **217 Alamy Stock Photo:** IPA / Independent Photo Agency Srl (c); Tabatha Fireman / Female Perspective (cra). **Elyse Butler:** (br). **Shutterstock.com:** wildestanimal (cla). **218 Alamy Stock Photo:** Jeff Rotman / Nature Picture Library (cr). **Getty Images / iStock:** doodlemachine. **219 Alamy Stock Photo:** Jeff Rotman / Nature Picture Library (bl, bc); Science History Images (crb). **naturepl.com:** David Shale (cl). **220 123RF.com:** lattesmile (br). **Dreamstime.com:** Fotofjodor (bc); Izanbar (bl). **221 Alamy Stock Photo:** Melba Photo Agency (cra). **Dreamstime.com:** Fotofjodor (bl). **naturepl.com:** Doug Perrine (b). **222 Dreamstime.com:** Kharlamova (br); Shane Myers (bl). **223 123RF.com:** lattesmile (bc). **Alamy Stock Photo:** Lebrecht Music & Arts (bl). **Dreamstime.com:** Donyanedomam (tl). **224 123RF.com:** lattesmile (b). **Dreamstime.com:** Dongfan Wang / Tabgac (bl). **Shutterstock.com:** Good luck images (crb)

Cover images: Front: **Dreamstime.com:** Eric Isselee bc, Dongfan Wang / Tabgac cr; **Getty Images / iStock:** GeorgePeters cla, vlad61 bl; Back: **123RF.com:** Mike Price / mhprice tr; **Dorling Kindersley:** Linda Pitkin bl, Jerry Young cla; **Dreamstime.com:** Digitalbalance cla/(jellyfish), Fenkie Sumolang / Fenkieandreas crb

All other images © Dorling Kindersley
For further information see: www.dkimages.com

DK would like to thank:
Polly Goodman for proofreading; Marie Lorimer for the index; Polly Appleton for additional design; Sophie Parkes and Robin Moul for additional editing; Mrinmoy Mazumdar for DTP design; and Balwant Singh for pre-production assistance.